U0137184

百科探索 06

探索海洋未解之謎

海洋不僅是生命最初的發源地，
還是一座擁有無數資源的寶庫。
自古以來，人類就對海洋充滿了敬畏與嚮往，
渴望能夠揭開它那神祕的面紗。

黃耀華——編著

前言

在地球上，浩瀚的海洋占據了大約三億六千萬平方公里的領地，是整個地球表面積的十分之七，將地球妝扮成一個美麗的藍色「水球」。在那湛藍色的廣闊領域中，隱藏著無數鮮為人知的祕密。海洋不僅是生命最初的發源地，還是一座擁有無數資源的寶庫。自古以來，人類就對海洋充滿了敬畏與向往，渴望能夠揭開它那神祕的面紗，掌握它令人捉摸不定的習性，利用它蘊藏的豐富資源。

在很早的時候，人類就已經在海洋上航行，從海洋中捕魚，對海洋進行探索。但是直到今天，海洋裡依然隱藏著許多未解之謎。

廣闊的海洋是怎樣形成的？海水中的鹽來自哪裡？海洋是如何調節地球的氣候的？為什麼海岸線總是不斷地變

動？海洋能否成為人類的「糧倉」？海底埋藏著多少金銀財寶？為什麼海獸的潛水本領如此高超？比目魚的兩隻眼睛為什麼長在頭部的同一側？飛魚「飛翔」的祕密是什麼？大海中的「魚醫生」是如何給「病人」看病的？海洋中的「魔鬼三角區」隱藏著什麼祕密？海洋中的「幽靈島」是怎麼回事？海洋污染有什麼危害？人類移居海底的夢想能否實現……海洋中這些撲朔迷離的謎團既令人驚訝，又令人著迷。

本書語言通俗生動，圖文並茂，將帶領讀者去探索神祕莫測的海洋世界。相信讀者閱讀本書後，會對海洋這片神奇美麗的藍色水域有更深刻的認識和瞭解！

編　者

揭開大海神祕的面紗

探訪海洋中的「居民」

揭祕海洋變幻莫測的性格

探索海洋奇觀

揭開大海神秘的面紗

一望無際的海洋是怎麼形成的？

海洋的年齡有多大了？

海水為什麼這麼鹹？

海水為什麼這麼藍？

海洋有無數奧祕等待我們去探索，

它的神秘莫測使我們充滿了嚮往！

海洋是如何形成的

從太空圖片上看，地球就像一個巨大的藍色水球，如此多的海水到底是從哪裡來的呢？

科學家們曾經認為，海水是由地球本來就有的「初生水」匯成的。在地球誕生之初，這些「初生水」是以結構水、結晶水等形式，儲存在礦物和岩石之中的。後來，隨著地球的地質活動，如火山爆發、地震等頻繁進行，這些水逐漸被釋放出來，經過長時間的積累，才形成了原始的海洋。

隨著科學研究的深入，人們發現事實並非如此。這些「初生水」被證實只不過是滲入地下，又重新循環到陸地上的地表水。於是科學家又提出了一個新的觀點：火山噴出的水蒸氣主要來自地表水，但不排除其中含有少量的「初生水」。如果地球自誕生後一直維持著現在火山活動時的水汽釋放量，那麼幾十億年來，水汽的累計總量將是現在地球大氣中的水分加上海水總量的一百倍。所以他們認為，海洋中百分之九十九的水是周而復始地循環的循環水，只有百分之一是「初生水」。

廣闊的海洋

也有一些科學家持另一種截然不同的觀點。他們認為地球上大部分的水並不是地球本來就有的，而是由「天外來客」彗星帶來的。據他們估算，每分鐘約有二十顆小彗星落在地球上。由於彗星的彗核主要是由凝結成冰的水構成的，如果每顆彗星直徑為十公尺左右，那麼每分鐘就有約二千立方公尺的水進入地球。據此推斷，在地球自形成至今的四十六億年中，大約有二十三億立方公里的水進入了地球，這些水就形成了今天的海洋。

然而，這些推斷都還不足以讓人信服。海洋究竟是怎樣形成的？海水是從哪裡來的？目前，科學家還不能給出明確的答案。

海洋的年齡

海洋的年齡究竟有多大呢？關於這個問題，科學家們的分歧較大，歸納起來主要有三種觀點。

第一種觀點認為，海洋是原生的。早在地球地質發展的初始階段，海洋就已經存在了，它的年齡與地球一樣古老。這是一種比較傳統的看法。第二種觀點認為，各大洋的年齡是不相同的。太平洋最古老，早在古生代就形成了，而其他各大洋比較年輕，它們均形成於古生代末期或中生代。第三種觀點是，世界各大洋都很年輕。根據陸地地殼的海洋化假說，世界各大洋都是於古生代的末期到中生代的初期形成的。

現在，人們利用深海鑽探技術，揭示出了海底沉積物的類型和變化，導致越來越多的人傾向於認同世界各大洋均在中生代形成。實際鑽探的結果顯示，世界各大洋洋底的地殼都很年輕，其形成的歷史一般不超過一億六千萬年，而海洋則是在十八億年前形成的。

海水中為什麼有這麼多鹽

我們都知道海水是鹹的，因為海水中含有鹽。據科學家估算，如果將海水中所有的鹽全部提取出來，其重量將達五億億噸。海水中為什麼會有這麼多鹽呢？

一種觀點認為，地球上最初形成的地表水（包括海水）都是淡水。這些淡水不斷地衝刷泥土和岩石，將可溶的鹽類物質帶到了江河之中，而江河中的水最終流入了大海。海洋中的水分不斷蒸發，鹽類卻一直保存下來，越積越多，於是海水就變成鹹的了。按照這種說法，隨著時間的流逝，海水將變得越來越鹹。有人曾對海水和河水的成分加以比較，發現它們的成分比較相似，只是各種鹽類的含量不同。如果海水是透過地球上的水循環從陸地匯集到海洋裡的，那麼海水與河水中各種鹽類的含量就不應該存在如此大的差異。

另外一種觀點認為，鹽是海洋中的原生物。不過，最初的海水並不像現在這樣鹹，由於可溶的鹽類物質不斷溶解，再加上海底不斷有火山噴發出鹽分，海水才逐漸變鹹。科學家經測試發現，海水在漫長的歲月中並沒有變得越來越鹹，只是海水中鹽的濃度在地球各個地質時期有所不同而已。

這些觀點都有不完善的地方，並不能完全解釋海水中的鹽來自哪裡。隨著科學研究不斷前進，人們總有一天會揭開海鹽來源之謎。

海水溫度之謎

每當盛夏的驕陽肆意地炙烤大地時，海濱就成了避暑勝地。當你泡在海水中時，會感到冰涼暢快；但是當你爬上岸後，會發現沙灘仍然炙熱逼人。你一定覺得奇怪，在同一輪烈日下，為什麼海洋與陸地卻是「冰火兩重天」呢？

科學家經過深入研究，為我們做出了解答。

原來，陸地的傳熱性較差，它既不透明也不能流動。太陽即使再厲害，也曬不到陸地的深處。由於陸地不能很好地傳熱，被太陽曬了一整天後，它所吸收的熱量還只是集中在不到一公厘厚的表層內，能量大都散發出來了。

海洋的情況就不同了。海水是半透明的，太陽光可以透射到海洋裡面。也就是說，太陽的輻射能可以到達海水的一定深度。經過長期的研究，人們發現到達水面的太陽輻射能，大約有百分之六十可以透射到海面以下一公尺處，有百分十八可以到達海面以下十公尺處，甚至有少量太陽輻射能可以到達海面下一百公尺的地方。而這在陸地上是不可能的。

海水還能把已經吸收的熱量傳送到陽光透射不到的深層海水中貯存起來。這也是海洋與陸地不同的一個重要性質。

另外，海洋可以透過海水的流動把熱量送到別的地方。比如，海流可以把赤道附近的熱海水往兩極方向送去，而兩極方向的冷海水也可以透過海流向溫暖的地方流動。

風浪也會幫忙完成上下層海水的溫度交換。你可不要小看這種風浪的作用，它所形成的海水溫度的上下交換要比熱傳導作用大上千倍。在夏季和白天，海面上接受的熱量較多，它就可以把熱量送到海洋深層儲存起來；而在冬季和夜晚，它又會反過來把儲存在海洋深層的熱量輸送到海面。

此外，海水還能透過對流作用輸送熱量。這種對流作用是由於冷熱海水的質量不同而形成的。就像冷空氣重、熱空氣輕一樣，海水也是冷的較重、熱的較輕。於是，冷而重的海水就會自動下沉，暖而輕的海水會自動上升。由於這種對流的存在，冬天的大海也不會很冷。

陸地與海洋的構成物質不同，所以在同一輪烈日的照耀下吸收的熱量也不同。因此，它們的溫度就會呈現出很大的差別。雖然海洋把太陽送來的熱量都儲存起來了，但是因為體積太大，溫度不可能升得很高，所以夏季的海水仍會使你打寒顫。

海水顏色之謎

在我們的印象中，海水是藍色的。但是，如果我們翻開地圖就會發現，世界上還有紅海、黑海、白海、黃海。為什麼會有不同顏色的海洋呢？

原來，彩色的海洋是太陽光的「傑作」。我們都知道，太陽光是由紅、橙、黃、綠、青、藍、紫七種可見光組成的。這七種光束的波長各不相同，而不同深度的海水會吸收不同波長的光束，從而就形成了不同顏色的海水。

海水較容易吸收波長較長的紅、橙、黃等光束，較難吸收波長較短的藍、青光束。當太陽光進入海洋中後，紅、橙、黃等光束先後被海水吸收；而藍、青光束遇到海水分子和海洋裡許多微小的懸浮物，便向四周進行散射和反射。海水對藍、青光束的吸收少、反射多。因此，我們看向大海時，看到的多是海水反射的藍光，海洋看上去就是藍色的。

那麼，紅海、黑海、白海、黃海又是怎麼回事呢？原來，當海水中的其他變色因素強於散射所產生的作用時，海水就會相應地顯現出不同的顏色。

海水中的懸浮物質、離子、浮游生物等因素都會影響海水的顏色。大洋中的懸浮物質較少，其顆粒也很微小，大洋的水色主要取決於海水的光學物質。因此，大洋海水多呈藍色；近海海水由於懸浮物質較多，顆粒較大，所以多呈淺藍色；近岸或河口地域，由於受泥沙顏色的影響，海水就會發黃；在某些海區，當淡紅色的浮游生物大量繁殖時，海水就會呈淡紅色。

中國黃海的顏色，是由近海海域的海水泥沙含量大造成的。因此人們稱之為「黃海」。

海洋生物也能改變海水的顏色。紅海位於亞洲和非洲之間，它一面是阿拉伯沙漠，另一面接近撒哈拉沙漠。從沙漠吹來的熱風使得海水的水溫及含鹽量都比較高，導致海水中紅褐色的藻類大量繁衍，所以海水看上去是淡紅色的，紅海的名稱便由此而來。

黑海則是由於海裡躍層的障壁作用，使海底堆積了大量污泥，致使海水變成黑色。另外，黑海有很多風暴，經常處於陰霾之下。特別是在夏天，狂暴的東北風在海面上掀起灰色的巨浪，海水漆黑一片，因此，它被人們稱為黑海。

白海是北冰洋的邊緣海，延伸至俄羅斯西北部內陸。那裡的氣候異常寒冷，結冰期達六個月之久。掩蓋著海岸的白雪難以融化，厚厚的冰層凍結住它的港灣，海面被白雪覆蓋。由於白雪的強烈反射，致使我們看到的海水是一片白色，白海便由此得名。

海水漲落的祕密

人們到海邊遊玩時，總喜歡在海灘上撿貝殼。有的人能撿到很漂亮的貝殼，甚至還會撿到海藻、海蜇、海星、海膽等。但是也有人卻一無所獲，只好抱怨運氣太差。這是為什麼呢？其實，這是由於海水的規律性漲落而造成的。

海水上漲時，波浪滾滾，向岸邊撲來，景色十分壯觀。過一段時間，海浪就悄悄地退了回去。那平坦的沙灘又露了出來，而沙灘上則留下了被海浪帶上來的各種各樣的貝殼和其他海洋生物。

海水差不多每天都是在相同的時刻湧上來，然後又在相同的時刻退下去。為什麼海水能如此有規律地漲落呢？

原來，這是月亮和太陽對地球的引力造成的。那為什麼陸地不會出現這種現象呢？

雖然月亮和太陽對陸地的引力與對海洋的吸引是一

樣的，但由於陸地地面是固體的，引力帶來的表面變化很微小，不容易被看出來。然而，海水是流動的液體，在引力的作用下，它會向吸引它的方向湧流，所以形成了明顯的漲落變化。

根據牛頓萬有引力定律，宇宙中一切物體都是相互吸引的，引力的大小同這兩個物體質量的乘積成正比，同它們之間距離的平方成反比。

太陽雖然比月亮大得多，可是它和地球之間的距離很遙遠，因此，月亮對海水的吸引力要比太陽大得多。海水漲落的主要動力是月亮的吸引力。

地球上面對著月亮的這一面，受到月亮的引力方向是指向月亮中心的，背對著月亮的一面則產生了相反於引力的離心力。引力和離心力都會引起海水水位的變化，使得面對月亮及背對月亮的地球兩側的海洋水位升高，出現漲潮。與此同時，位於兩個漲潮之間地區的海水，由於海水向漲潮的地方湧去，便會出現落潮。

由於地球自轉的原因，對某一個點來說，每天都要面向月亮一次和背向月亮一次，所以一天之中要出現兩次漲潮和兩次落潮。

太陽對海水的引力雖然比不上月亮，可是也會產生一定的影響。月亮的引力和太陽的引力共同發揮作用，就使海水的漲落過程變得複雜了。

每到農曆初一或十五的時候，地球和月亮、太陽幾乎在一條直線上，日、月引力之和使海水漲落的幅度較大，叫做大潮。然而，到了農曆初八和二十三的時候，地球、月亮、太陽三者之間的相對位置差不多成了直角，月亮的引力要被太陽的引力抵銷一部分，所以海水漲落的幅度比較小，這就是小潮。

貌似陸地的海底

幾十年前，人類還不知道海洋的底部是什麼模樣。直到二十世紀五十年代，地理學家們才利用先進的技術，測繪出海底世界的面貌。實際上，海底世界的面貌和我們居住的陸地十分相似：不僅有雄偉的高山，還有深邃的海溝與峽谷，也有遼闊的平原。世界大洋的底部就像一個巨大的水盆，邊緣是淺水區的大陸架，中間是深海盆地，洋底有高山深谷及深海大平原。

根據大量的測繪資料，人們已經知道了海底的基本輪廓：沿岸陸地從海岸向外延伸，形成了坡度不大、比較平坦的海底，這個地帶叫「大陸架」；再往外是相當陡峭的斜坡，急劇向下直到三千公尺左右深，這個斜坡叫「大陸坡」；從大陸坡往下便是廣闊的大洋底部了。

大陸架的地形一般起伏不大，上面覆蓋著一層主要由河流從陸地上「搬運」過來厚度不等的泥沙碎石。但是有的地方，如南、北美洲太平洋沿岸，地中海沿岸，其海岸靠近高高的山脈，海底地形就比較崎嶇陡峭。還有的地方，如中國黃海沿岸、大河下游的河口海灣一帶，陸地上地勢平坦，海底也是起伏不大的寬廣的大陸架。

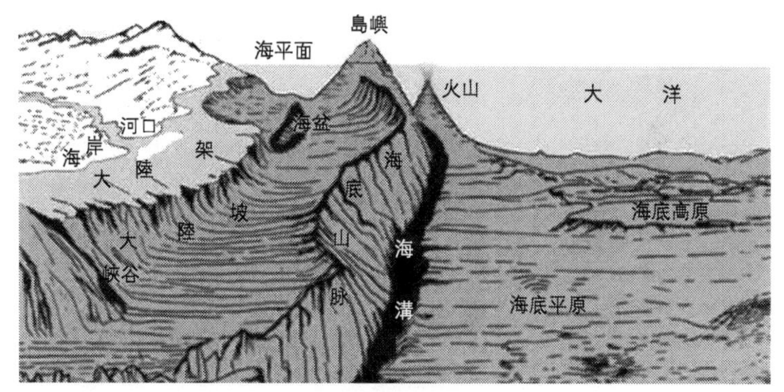

海底地貌示意圖

大洋底部位於海水下幾千公尺深處，主要由深水盆地、深海大平原、規模宏大的海底山脈和海底高原所組成，還有一些孤立的洋底火山、巨大的珊瑚島礁等。這些地形與陸地地形不同，它們是在海洋中形成的。大洋底部的表面覆蓋著一層厚度不大的海底沉積物，人們稱之為深海軟泥。

在整個海底世界，大洋底約佔海洋總面積的百分之八十。宏偉的海底山脈、廣闊的海底平原、深邃的海溝上面均覆蓋著厚度不一、或紅或黑的沉積物，使大洋底顯得氣勢磅礴、雄偉壯麗。

海洋地殼主要是玄武岩層，平均厚度約為五公里；而大陸地殼主要是花崗岩層，平均厚度為三十三公里。大洋底一直都在更新和擴張，每年擴張新生的洋底大約有六公分。洋中脊是大洋底隆起的「脊樑骨」。世界大洋中脊總長約為八萬公里，約佔洋底面積的三分之一，海底擴張就是從這兒開始的。

海岸線變動之謎

海岸線就是陸地和海洋的分界線。從形態上看，海岸線有的彎彎曲曲，有的卻像條直線。而且，這些海岸線還在不斷地發生著變化。例如，中國的天津市在公元前還是一片大海，那時的海岸線在河北省的滄縣和天津西側一帶的連線上。經過二千多年的演化，這條海岸線向海洋推進了幾十公里。

科學研究表明，海岸線在最近的兩三百萬年中起碼發生過三次全球性的大變動。有時海水漸漸退去，原來在海面以下的大片土地就變為陸地；有時，海水又漸漸漲上來，使沿海大片土地淪為滄海。這就是所謂的「滄海桑田」。海水就是這樣時進時退，幾乎永不休止。

海岸線變動的幅度有多大呢？

我們來看看距離今天最近的那次大海退。在大約七萬年前，海面開始下降，一直到離現在兩三萬年前，海面才退到最低點，中間持續時間達四五萬年。當時的海平面要比現在的海平面低一百多公尺，那時地球表面的海陸分佈是什麼格局呢？

以中國沿海地區為例，現在的渤海平均水深只有二十一公尺，福建和臺灣之間的臺灣海峽、廣東雷州半島與海南島之間瓊州海峽的水深都不足一百公尺。因此，在那次大海退中，當海平面下降了一百多公尺的時候，渤海完全消失了，臺灣、海南島與大陸連成了一塊完整的陸地。

事實證明，現在這些被海水隔開的海島，以前曾經是與大陸連在一起的。

為什麼海岸線會不斷地變化呢？人們透過大量的調查研究，找到了這個問題的答案。

首先，氣候的變遷和冰川的進退是造成海岸線變化的最主要原因。在最近兩三百萬年間，地球上曾經有過幾次大冰期。冰期來臨的時候，天氣很冷，地球上的水不斷變成雪降落在陸地上，最後堆積成很大的冰川留在了陸地上，而沒有流到海洋裡去。降水的來源主要是海水蒸發，當海水蒸發損失大而補充少時，海水就越來越少。這樣，海面就慢慢地降低了。科學家認為，地球上最近發生的三次大海退就是這樣造成的。然而，一旦冰川消融，陸地上大量的水就會流回海洋，海面也會再度上升。

其次，地殼的升降運動也會影響海岸線的變化。地球歷史上的一些海陸變遷常常是由於地殼升降而造成的。地殼構造力的作用可以使原來的深海隆起成為高山，也可以使高山淪為深海。

另外，河流的泥沙淤積也是造成海岸線變化的一個重要因素。在一些大河的入海口，常常會有河流帶來的大量泥沙淤積形成的三角洲。有的河流攜帶的泥沙很多，形成的三角洲向大海擴張的速度就非常快，從而導致海岸線發生明顯的變化。

壯觀的海底峽谷

憑藉先進的海洋探測技術手段，人們在海底發現了大量壯觀的峽谷。海底峽谷大都蜿蜒曲折，常常有許多支谷而呈樹枝狀。其横剖面一般呈V形，類似於陸地上的大峽谷。

海底峽谷的長度大多數小於四十八公里，也有些在三百二十公里以上。海底峽谷的頂部多延伸至大陸坡上部或大陸架上，有的甚至直逼海岸線。海底峽谷的兩壁又高又陡，坡度一般約為四十度，有的谷壁狀若懸崖。谷壁上有許多不同時代的岩石凸出來。谷底沉積著軟泥和沙石等。海底峽谷的水深自頂部向末端變深。峽谷頂部的平均水深約為一百公尺，其末端水深多在二千公尺左右，深者可達三千至四千公尺。例如切割最深的海底峽谷——巴哈馬峽谷，其谷壁高度差達四千四百公尺，是陸地上的大峽谷難以相比的。

如此壯觀的海底峽谷究竟是如何形成的呢？研究者

們對此各持己見。

最早的解釋是，海底峽谷是海浪沖刷的結果。持有這種觀點的人認為，海浪有巨大的能量，對海底會產生巨大的沖刷作用，造就海底峽谷不成問題。這個觀點一經提出，就遭到了不少科學家的強烈反駁。他們認為，海浪不可能對海底產生那麼大的侵蝕作用。雖然海面上有時狂風怒吼、波浪滔天，但是在幾百公尺甚至幾千公尺深處的海底卻是十分平靜的。

有的科學家認為，是海嘯侵蝕造就了海底峽谷。但是，在沒有海嘯的地區照樣有海底峽谷存在，可見海嘯侵蝕並不能用來解釋所有海底峽谷的成因。

還有些科學家認為，是河流侵蝕造就了海底峽谷，理由是海底峽谷的形狀與陸地河蝕峽谷相似。他們認為，海底峽谷所在的地方過去曾經是陸地，河流侵蝕造就的陸地峽谷，由於地殼下沉或海面上升，被淹沒於波濤之下變成了海底峽谷。例如地中海地區科西嘉島的海底峽谷，它的坡度與相鄰陸上河谷的坡度相一致。這種海底峽谷可能是由被淹的河谷形成的。但是，有些海底峽谷處於海面以下一二千公尺甚至更深之處，而海平面抬升的幅度是不可能達到如此之大的。另外，海底峽谷又廣泛地存在於地質構造上升的地區，所以河谷被淹沒在海中的這種形成方式，不能被看做是海底峽谷的普遍成因。有一些與陸上河谷相連接的海底峽谷，二者相接處的坡度突然發生轉折，海底峽谷的坡度比鄰接陸上河谷的坡度陡得多，可見它們也不是被淹沒的河谷下段。

後來，透過長時間的觀測研究，人們發現濁流侵蝕作用是大多數海底峽谷的成因。儘管多年來人們並未在海底峽谷中直接測到高速的濁流，但仍然找到了大量的間接證據。峽谷陡峭的頂部、倒懸的谷壁、谷底的波痕和流痕、不時向下游移動的沙礫、峽谷口外發育巨大的海底扇、谷底的淺水生物和陸上植物的碎屑等，都表明海底峽谷中必定有較強的流體透過。

由此看來，海底峽谷很可能就是由濁流「鑿」出來的。在鋪設紐芬蘭海底電纜時，人們發現電纜曾在不到一晝夜的時間裡多次被沖斷，後來查出，原來是由海底一股含大量泥沙的濁流造成的。這一事實有力地證明了海底確實有濁流存在。

神奇的海底火山與平頂山

陸地上有火山，海底也有火山，而且海底火山的分佈相當廣泛。據科學家統計，全世界共有二萬多座海底火山，其中一半以上分佈在太平洋底部。其中有的是死火山，有的正處於活躍期，有的則處於休眠狀態，說不定什麼時候就會甦醒過來。現有的海底活火山除少量零散分佈在大洋盆外，絕大部分處於島弧、中央海嶺的斷裂帶上。它們呈帶狀分佈，人們稱之為海底火山帶。

海底火山的規模有大有小，一千至兩千公尺高的小型火山最多，超過五千公尺高的火山就比較少了，露出海面的海底火山（海島）更是屈指可數。著名的夏威夷群島就是由於海底火山噴發，火山不斷擴大增高，最終露出海面而形成的。島上至今還有五個盾狀火山，其中的冒納羅亞火山是世界上著名的活火山。這座火山的海拔高度約為四千一百七十公尺，大噴火口直徑達五千公尺，常有紅色熔岩流出。一九五〇年的時候它曾經大規模地噴發過。夏威夷島嶼四周海底深五千公尺，也就是說冒納羅亞火山的總高度約為九千公尺。

海底除了大大小小的火山，還有許多平頂山。海底平頂山是由海底火山噴出物堆積而成的。從外形上看，平頂山是一個上小下大的錐狀體，它的山頭就像是被削去了一樣。

以前，人們還不知道海底平頂山的存在。第二次世界大戰期間，為了適應海戰的要求，便於軍艦、潛艇活動，需要摸清海底的情況。美國科學家、普林頓大學教授哈利·赫斯當時在「詹森號」任船長，接受了美國軍方的命令，負責調查太平洋洋底的情況。他帶領全艦官兵，利用回聲測深儀對太平洋海底進行了大面積的調查。結果他們發現了很多海底平頂山。這些山有的是孤立的山峰，有些則形成了山峰群，大多數呈佇列式排列著。這種奇特的平頂山高度不一，大多數在二百公尺以下，有的卻在二千公尺左右。

發現海底平頂山之後，赫斯感到非常納悶：那些山的山頂為什麼會那麼平坦？山頭到哪兒去了？

後來，科學家們經過仔細研究終於解開了這個謎。其實由海底火山噴發物形成的山體在誕生之初，它們的山頭都是完整的。如果山頭高出海面很多，任憑海浪怎樣拍打、沖刷，都不會動搖。因為這種山已經站穩了腳跟，變成了真正的海島，夏威夷島就是一例。如果海底火山噴發形成的山體比較小，在海面以下很深的地方，以至海浪的力量無法觸及它，山頭也會安然無恙。只有那些山頭略高於海面的，在它立足未穩時就遭到了海浪的拍打和沖刷，時間長了，山頭就被削平了，形成了略低於海面、頂部平坦的平頂山。

名不副實的太平洋

太平洋是地球上最大、最深的大洋。

太平洋位於亞洲、大洋洲、南美洲和北美洲之間，北面通過白令海峽與北冰洋相連，西南與印度洋相通，東南與大西洋相通。太平洋南北長約一萬五千九百公里，東西最大寬度約一萬九千九百公里。太平洋原面積約為一億八千一百三十萬平方公里，因為人們新劃分出了一個南極洋，所以它的面積變為一億一千五百五十五萬七千平方公里。它的平均深度約為四千零二十八公尺，最深處馬里亞納海溝深達一萬一千零三十四公尺。

太平洋雖名為「太平」，其實一點也不太平。由於地理位置和自然狀況的特殊性，太平洋充滿了各種危險。

在地球上的各大洋中，太平洋的水溫是最高的。它的年平均表面溫度為十九℃，北緯七度附近的水溫最高，在二十八℃以上。整個太平洋有四分之一的區域海面溫度超過二十五℃。這種熱帶海面最容易生成颱風，因此每年太平洋上總是颱風頻發。太平洋上的颱風幾乎佔了世界上全部海洋颱風的百分之七十。 當颱風登陸時，會給人們帶來巨大的損失。 如果正在海上航行的船隻遇到颱風，後果更是不堪設想。

太平洋還是海溝、火山和地震最多的大洋。它總共有二十八條海溝，這些海溝呈圓環形，分佈在太平洋四周淺海與深水洋盆相接的區域。在眾多海溝中分佈著三百六十多座活火山，約佔全世界活火山總數的百分之八十五。這裡地震頻繁，約占全球地震總數的百分之八十。

最年輕的大洋——大西洋

大西洋是世界第二大洋。它原來的面積約為八千二百二十一萬平方公里，在南極洋劃分出來之後，它的面積被削減到七千六百七十六萬平方公里左右。大西洋是地球上最年輕的大洋，從形成到現在只有一億年。

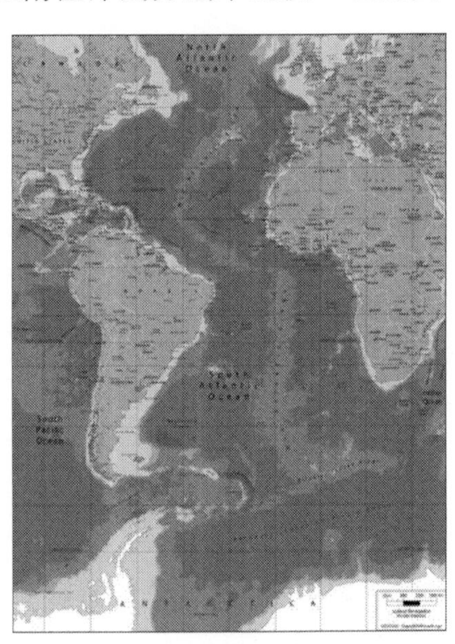

大西洋地圖

大西洋位於歐洲、非洲與南、北美洲和南極洲之間，以赤道為界，分為北大西洋和南大西洋。它北面連接北冰洋，南面則以南緯六十六度與南極洋連接。大西洋東西狹窄，南北延伸，形狀略呈「S」形，自北至南全長約有一萬六千公里。大西洋寬度最窄的地方在赤道區域，約為二千四百公里，其平均深度約為三千六百二十七公尺，最深處的波多黎各海溝深達八千六百零五公尺。

大西洋海底的大陸架主要分佈在歐洲和北美洲沿岸，其面積較大。大西洋中深度超過二千公尺的水域約佔百分之八十點二，深度在二百至二千公尺的水域約佔百分之十一點一，水深在二百公尺以上的大陸架約佔百分之八點七。它的大陸架面積比太平洋、印度洋都大。

大西洋在世界航運中處於極為重要的位置 。它的西部通過巴拿馬運河連接太平洋，東穿直布羅陀海峽，經地中海、蘇伊士運河通向印度洋，北連北冰洋，南接南極海域，航路四通八達，十分便利。在大西洋上，海輪全年均可通航，這一海區聚集了世界上約百分之七十五的海港。

科學家推測，在一億年前，非洲和美洲兩個大陸其實是連接在一起的。但隨著時間的推移，兩個大陸之間的距離越來越遠，最後形成了一個新的大洋，它就是大西洋。現在大西洋仍然在擴張，也許將來它有可能超過太平洋，成為世界第一大洋。

熱帶海洋——印度洋

地球上的第三大洋是印度洋。印度洋的主體位於赤道帶、熱帶和亞熱帶範圍內，因此它被稱為熱帶海洋。印度洋的總面積約為七千四百九十一萬五千平方公里，約佔世界海洋總面積的五分之一。它的平均深度約為三千八百九十七公尺，居世界第二位；最深處是阿米蘭特海溝，深達九千零七十四公尺。

印度洋處於亞洲、非洲、南極洲和大洋洲大陸之間，它的大部分在南半球。它的北部是封閉的，南部則向南極洲敞開，西南繞過好望角與大西洋相通，東部通過馬六甲海峽和其他許多水道與太平洋相通，西北通過紅海、蘇伊士運河，通往地中海。印度洋北部海岸曲折，東、西、南三面海岸陡峭平直，洋底的大洋中脊呈「入」字形。特殊的東經九十度海嶺和巨大的水下沖積堆等構成了印度洋複雜的海底地貌。

印度洋地區的氣候比較溫暖，水溫與氣溫都比較高。由於印度洋與亞洲大陸的交互作用，其北部形成了世界上特有的季風洋流。印度洋南部的洋流是由南赤道流、馬達加斯加暖流、西風漂流和西澳洲寒流組成的環流，終年沿逆時針方向流動。然而，印度洋北部的洋流則隨著季節變化，冬季受東北季風影響，形成逆時針環流，夏季則受強勁的西南季風推動，轉變成順時針環流。

印度洋蘊藏著相當豐富的石油和天然氣資源，這些資源主要分佈在波斯灣，在澳洲附近的大陸架、孟加拉灣、紅海、阿拉伯海、非洲東部海域及馬達加斯加島附近也有分佈。已探明的波斯灣海底石油儲量為一百二十億噸，天然氣儲量七千一百億立方公尺，油氣資源佔中東地區探明儲量的四分之一。印度洋海域也是世界最大的海洋石油產區，其石油產量約佔海上石油總產量的三分之一。

印度洋的航運業雖不如大西洋和太平洋發達，但由於中東地區盛產的石油需要通過印度洋航線源源不斷向外輸出，使得印度洋航線在世界上佔有重要的地位。蘇伊士運河經馬六甲海峽的航線是印度洋東西間最重要的一條航道，它將西歐、地中海沿岸各國的經濟，與遠東及北美洲西海岸各國的經濟緊密地聯繫起來了。

最寒冷的大洋——北冰洋

位於地球最北端的北冰洋是世界上最小最淺的大洋，同時也是最寒冷的大洋。它的面積約為一千三百一十萬平方公里，還不到太平洋的十分之一。北冰洋大致以北極圈為中心，被歐洲大陸和北美大陸環抱著。它通過挪威海、格陵蘭海和巴芬灣等眾多海峽同大西洋連接，並以狹窄的白令海峽與太平洋相通。

北冰洋氣候寒冷，最冷月的平均氣溫可達零下二十至四十℃，暖季的氣溫也多在八℃以下。大部分洋面常年冰封，堅實的冰層足足有三四公尺厚。冬季，冰封住了百分之八十的海面；就是在夏季，也有一半多的海面被冰雪覆蓋。

北冰洋具有很重要的戰略地位，因為它上空的航線可以大大縮減亞洲、歐洲和北美洲之間的距離。例如，從紐約到莫斯科，飛越北冰洋要比橫跨大西洋短大約一千公里的航程。同時，北冰洋航線也大大縮短了東西方之間的海上航線。然而由於北冰洋氣候惡劣，洋上的冰層和冰山很多，因此船舶只能於暖季在北冰洋上航行，而且還需要設置破冰船和導航系統。

北冰洋嚴寒的氣候不利於動植物生長。比起其他幾個大洋，北冰洋擁有的生物種類和數量都比較少，但它並不是寸草不生。洋中海島上的植物主要有苔蘚和地衣，南部的一些島嶼上還有耐寒的草本植物和小灌木。北冰洋地區的動物以白熊最著名，其他還有海象、海豹、雪兔、北極狐、馴鹿和鯨魚等。

令人困惑的地中海

地中海位於歐洲、非洲和亞洲大陸之間，是世界上最大的陸間海，也是最古老的海。地中海處於乾旱地區，終年高溫，氣候乾燥，降雨量少。統計資料顯示，地中海每年的蒸發量超過了降水量與江河徑流量之和，它本身處於一種入不敷出的狀態。大西洋表層水的不斷注入是地中海海水的主要補充來源。因此有人認為，如果沒有大西洋海水流入地中海，也許不用一千年的時間，地中海就會完全乾涸，變成一個特大的盆地。

地中海在一千五百萬至二千萬年前與大西洋、太平洋以及印度洋是相通的，它們之間都有進行海水交流的廣闊水道。這一理論得到了大多數海洋地質學家的認同。現在的地中海西部通過直布羅陀海峽與大西洋相接，東部通過土耳其海峽和黑海相連。

地中海海底起伏不平，海嶺和海盆交錯分佈，以亞平寧半島、西西里島到非洲突尼斯一線為界分為東、西兩部分。東地中海要比西地中海大得多，其海底地形崎嶇不平，深淺懸殊，最淺處只有幾十公尺，最深處可達四千公尺以上。在有些位置，一條正在航行船隻的船頭與船尾之間，水深相差甚至可達四五百公尺。有很多人問，地中海真的會完全乾涸嗎？地中海一旦消失，它周圍的地理環境和氣候又會變成什麼樣？有人認為地中海在歷史上曾經乾涸過，因為它的海底有一層鹽丘。但是，也有人不同意這種觀點，他們認為這層鹽丘是地中海海底本來就有的。如果這種說法成立，那就會產生另一個謎題：如此深厚的地中海深層鹽層是如何產生的？

地中海的氣候也很奇怪。這裡冬季受西風帶控制，鋒面氣旋活動頻繁，氣候溫和，最冷月平均氣溫在四至十℃之間，降水量豐沛。夏季在副熱帶高壓控制下，氣流下沉，氣候炎熱乾燥，雲量稀少，陽光充足。這裡全年降水量三百至一千毫米，冬半年約佔百分之六十至七十，夏半年只有百分之三十至四十。在世界各種氣候類型中，地中海這種冬雨夏乾的氣候特徵可謂獨樹一幟。

地中海擁有如此多的謎團，給海洋學家、地質學家、氣象學家們提供了很多研究課題。相信在科學家們的努力之下，這些謎團總有一天都會迎刃而解。

海流是怎麼形成的

海流就是洋流，它是海水的普遍運動形式之一。海洋裡有許多海流，每條海流常年沿著比較固定的路線流動。它如同人體的血液循環一樣，把整個世界大洋聯繫在一起，使整個世界的海洋得以保持其各種水文、化學要素的長期相對穩定。

海流根據其形成原因的不同，可分為以下三種：

海洋表層那些比較大的海流，多是由強勁而穩定的風造成的。這種由風直接產生的海流叫做「風海流」，也有人稱之為「漂流」。這種海流隨深度的增大而減弱，直至小到可以忽略，它所涉及的深度通常只有幾百公尺，相對於幾千公尺深的大洋而言只是表層。

還有一種「密度流」，是由於海水密度分佈不均勻而產生的，也叫「梯度流」或「地轉流」。不同海域中海水的溫度和含鹽度也不同，這會使海水密度產生差異，從而引起海水水位的差異。在海水密度不同的兩個海域之間便會產生海面的傾斜，造成海水的流動，從而形成密度流。

另外，由於海水的連續性和不可壓縮性，一個地方的海水流走了，相鄰海域的海水就會流過來補充，這樣就產生了「補償流」。補償流既有水平方向的，也有垂直方向的。

在海洋的大陸架範圍或淺海處，由於海岸和海底摩擦顯著，加上海流特別強等因素，便會形成頗為複雜的大陸架環流、淺内海環流、海峽海流等淺海海流。

在研究海流的過程中，科學家們還常常按其溫度特性，將海流分為暖流和寒流。若海流的水溫比到達海域的水溫高，則稱為暖流；若海流的水溫比到達海域的水溫低，則稱為寒流。一般來說，由低緯度流向高緯度的海流為暖流，由高緯度流向低緯度的海流為寒流。

墨西哥灣流

在所有的海流中，有一條海流規模巨大，堪稱海流中的「巨人」，這就是著名的美國墨西哥灣流。它寬達六十至八十公里，厚達七百公尺，流量達到每秒鐘七千四百萬至九千三百萬立方公尺，比世界第二大海流——北太平洋上的黑潮要大將近一倍。其總量比陸地上所有河流的總量要多八十倍。若與中國的河流相比，它大約相當於長江流量的二千六百倍，相當於黃河流量的五萬七千倍。墨西哥灣流與北大西洋海流和加那利海流共同作用後，調節西歐與北歐的氣候。

神奇的黑潮

黑潮是太平洋地區最強的海流，在所有的海流中僅次於北大西洋中的灣流（墨西哥灣流），是世界第二大海流。黑潮屬於日本暖流，是北太平洋上順時針方向的亞熱帶循環中西側的一環。因其水色深藍，看起來近似於黑色，所以它被人們稱為「黑潮」。

黑潮發源於北赤道，途經菲律賓，緊貼著臺灣東部進入東海，然後經琉球群島，沿日本列島的南部流去，於東經一百四十二度、北緯三十五度附近海域結束行程。其總行程約有六千公里。到達琉球群島附近

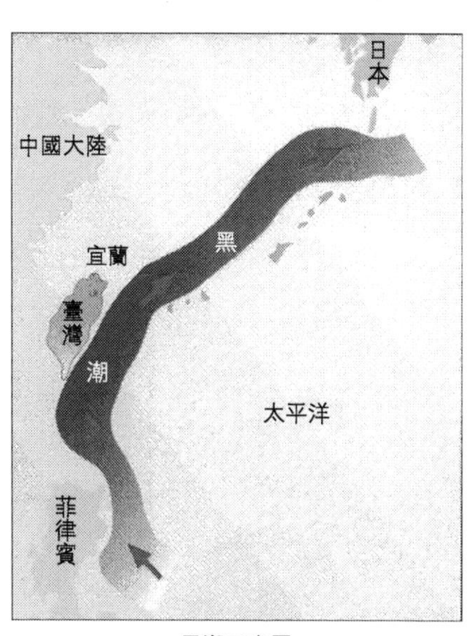

黑潮示意圖

時，黑潮分出一支暖流來到中國的黃海和渤海。位於渤海的秦皇島港冬季不封凍，就是受這股暖流的影響。黑潮的主支向東，一直可追蹤到東經一百六十度；還有一股分支先流向東北，與親潮（也稱為千島寒流）相遇後匯入向東流的北太平洋洋流。

黑潮是一支強大的海流，其總徑流量大約相當於一千條長江的總徑流量。黑潮的流速為每秒一百至二百公分，厚度在五百至一千公尺，寬度為二百多公里。黑潮流得最快的地方在日本潮岬外海，流速不亞於人的步行速度，比普通機帆船還快。在此處測得的黑潮流量達每秒鐘六千五百萬立方公尺，大約是世界流量最大的亞馬遜河的三百六十倍。黑潮年平均水溫為二十四至二十六℃，冬季為十八至二十℃，夏季可達二十二至三十℃。

因海洋暖流對大氣產生直接影響，所以黑潮與氣候關係密切。日本的氣候溫暖濕潤，就是受到黑潮的影響。例如，中國青島與日本東京、中國上海與日本九州島，緯度相近，而氣候差異卻不小。當青島人穿棉衣時，東京人穿著秋裝；當上海已是「昨夜西風凋碧樹」時，九州島的亞熱帶植物依然綠葉扶疏。

黑　　潮

黑潮雖然名中有「黑」字，但是它的水並不黑，甚至比其他海水更清澈透明。黑潮的水看起來是黑色，是因為黑潮水質極少含有其他物質，能見度達三十至四十公尺。當太陽的散射光照射到黑潮水面時，水分子偏重散射藍色光束，其他光束如紅色、黃色等光束就被水分子吸收了。所以，從上往下看時，黑潮的海水就是藍黑色的。

魚為什麼喜歡以洋流為家

鰹魚、鮐魚、金槍魚等魚類喜歡在暖流中生活，鱈魚、鯡魚等則喜歡在寒流中生活。魚兒為什麼喜歡以洋流為家呢？這還要從海洋中的食物鏈說起。

海洋中的營養成分都以鹽的形式溶解在海水中，這種鹽被稱為營養鹽。營養鹽一般在深層海域中含量較為豐富。但是，洋流能夠將海洋底層的海水帶到表層，使得表層的浮游植物大量繁殖，以浮游植物為食的浮游動物數量就會隨之增加。大多數魚類都是以浮游動物為食的，因此其數量也開始增加。這些生物的排泄物又被肉眼看不見的細菌分解為營養鹽。

另外，魚類一般是從卵開始成長的。魚卵最初是浮在海水表層的，因為在營養鹽豐富的深層海域，魚卵會被海域中的生物吞食。但是，魚卵並不是一直浮游在大洋裡，當魚卵即將孵化時其重量會增加，然後沉入海底，在海底適合生長發育的地方孵化。因此，魚類可以巧妙地利用洋流運動的特性趨利避害，生長繁殖。另一方面，只有適應這種海洋環境的魚類才可以生存延續。

日本附近的寒、暖流均是很有代表性的洋流。日本近海的寒流代表是「親潮」（千島寒流），暖流的代表是「黑潮」（日本暖流）。

親潮的特點是水溫低、含氧量高、營養鹽多。仔細觀察親潮，你會發現其中的海水呈青白色。這是因為親潮中含有大量的微生物及其排泄物的顆粒。太陽光線進入水中之後，受到海水分子和懸浮物質的反射，導致海面看上去發白。親潮中豐富的營養鹽為魚類的生長發育提供了良好條件。

黑潮和親潮不同，它水溫較高，含氧量低，營養物質少，水中的生物情況也有很大差異。但是，黑潮的流速相當快，可以為洄游性魚類提供一條快速便捷的路徑。魚類跟隨著黑潮，就像上了高速公路一般。因此，在黑潮中可以捕捉到為數可觀的洄游性魚類，以及其他被這些魚類所吸引過來覓食的大型魚類。黑潮的暖水塊周圍也是很好的漁場。

在寒暖流交匯的海區，海水受到攪動，可以將下層營養鹽等帶到表層，有利於魚類大量繁殖。兩種洋流還可以形成一個天然的「水障」，阻礙魚類活動，使得魚群集中在一起，這樣就會形成較大的漁場。例如，親潮與黑潮匯合後，就形成了北海道漁場。該漁場寒暖交界面很明顯，是理想的漁場。

由於這些寒暖流交匯形成的漁場海面溫度變化非常大，所以人們可以利用人造衛星的紅外線探測功能來尋找漁場。

大洋環流形成的原因

在浩瀚無垠的海洋中，海水每時每刻都在流動。打開一張海流圖，你會發現，上面那些蚯蚓般的曲線都代表著海水流動的大致路線。它們首尾相接，循環往復，形成了大洋中的「環流」。在海面風力和熱鹽等因素的作用下，海水從某海域流向另一海域，最終又流回原海域，從而形成了首尾相接的獨立環流體系，這就是大洋環流。人們形象地把它比喻為「海洋的血液」。

在日本列島南側，有一股海流向東流去，並最終與北太平洋海流合流。這股海流在美國的遠海是向南流的，然後又以北赤道海流的形式流回西方。這樣就在北太平洋內形成了一個順時針的大循環，人們稱之為「亞熱帶循環」。同樣，北大西洋內也有一個順時針大循環。它是由墨西哥灣流、北大西洋海流、加那利海流與北赤道海流構成的。

也有一些大洋環流是沿逆時針方向流動的。在南太平洋和南大西洋內的環流都是沿逆時針方向流動的。南太平洋環流是由南赤道流、東澳洋流、西風漂流和祕魯海流組成的逆時針環流。南大西洋環流則是由南赤道流、巴西海流、西風漂流和本格拉海流組成的。

相對於太平洋和大西洋來說，印度洋的情況比較特殊，它只在赤道以南有一個環流。因為印度洋洋域太小，又受陸地影響，因此無法形成長年穩定的環流。印度洋北部海流的方向會隨著季風改變，夏季是自東向西流，並在孟加拉灣和阿拉伯海形成兩個順時針的小環流；冬季則相反，海流由西向東流。另外，北冰洋也由於位置特殊，又受到大西洋海流的支配，只形成了一個順時針的環流。

大洋環流的形成是許多因素綜合作用的結果。這些因素包括風、大洋的位置、海陸分佈形態、地球自轉產生的偏向力等。

常年穩定的風力作用可以形成一支長盛不衰的海流。經久不息的赤道流就是受信風帶吹刮的偏東風影響而形成的。穩定的西風漂流則是受強有力的西風帶影響而形成的。但是，大洋環流形成的「環」，卻並非都是風的功勞。大陸的分佈和地轉偏向力的作用都是影響大洋環流形成的重要因素。

大陸的分佈和地轉偏向力的作用，都是影響大洋環流形成的重要因素。

當赤道流一路西行，到達大洋西邊緣時，被大陸擋住了去路。擺在它面前的只有兩條出路，一是原路返回東岸，二是轉彎。但是，因為「後續部隊」浩浩蕩蕩、源源不斷地跟過來，全部返回是不可能的。因此，這股海流只好分出一小股潛入下層返回，成為赤道潛流；其餘大部分只得拐彎另闢他途，繼續前進。

那麼，海流是怎麼拐彎的呢？原來，是地轉偏向力發揮了重要作用。在北半球，海流受到地轉偏向力的作用便向右轉，在南半球就向左轉。加上大陸的阻擋，海流便大規模地向極地方向拐彎了。在海流向極地方向進軍的途中，地轉力一刻也不放鬆，拉偏的勁頭越來越足。到緯度四十度左右時，強大的西風帶與地轉偏向力形成合力，使海流成為向東的西風漂流。同樣的道理，西風漂流到大洋東岸附近，必然流向赤道，從而完成一個大循環。

解析黃海暖流

在東海東北部、濟州島以南，有一支沿西北方向進入黃海的暖流，它在海洋學上被稱為「黃海暖流」。黃海暖流是沿太平洋西部「第一島鏈」北上的日本暖流（黑潮）的一個分支。它在向北流動的過程中，因為受到沿岸水文氣象因素的影響而不斷變化著。然而，隨著進入黃海的距離逐漸增大，這支暖流的特性也逐漸減弱。

黃海和渤海地區的潮流較強，黃海暖流與之相比就顯得很弱了。海流流速只及潮流的十分之一左右。所以，潮流常常會掩蓋海流，而使海流不易被辨識出來。但在溫度和鹽度的分佈上，特別是在冬季，黃海暖流具有明顯的高溫高鹽和低溶解氧含量特徵，從南黃海一直延伸到渤海。但是到了夏季，黃海深處的冷水總會阻礙這支暖流北上，因而使得它很不明顯。甚至有人認為，這支海流在夏季是不存在的。

黃海暖流的流向比較穩定，終年偏北，大致沿高鹽水域軸線方向流動。當黃海暖流抵達北緯三十五度附近，向左側分出一小股，與正向南方流去的沿岸流構成一個逆時針的小環流。然後主流會繼續北上，在成山角以東又往東分出一小股，與西朝鮮沿岸流匯合後南下。然而，流入北黃海的暖流餘脈主要向西流動，從渤海海峽北部進入渤海。此時，這支暖流的勢力已經非常弱了。當它抵達渤海西部時，受陸地阻擋而分為兩小股，一股向東北流入遼東灣，另一股則向南流入渤海灣。

由於遼東灣的環流會隨季風發生變化，所以從遼河入海的徑流會被冬季的偏北季風吹向遼東灣東岸，然後南下與北上的黃海暖流餘脈構成一個順時針環流；而夏季的偏南風又會把遼河水推向遼東灣西岸，與沿著該灣東岸北上的黃海暖流餘脈構成一個逆時針環流。

渤海灣的環流就是其南部的一個終年左旋的環流，由北面的黃海暖流餘脈與南面的魯北沿岸流構成。

黃海暖流冬強夏弱，不僅是因為受到了黃海冷水團的影響，還與對馬暖流通過朝鮮海峽的流速、流量有關。當對馬暖流通過朝鮮海峽的流速減弱時，黃海暖流就加強；反之，當朝鮮海峽流速增強時，黃海暖流就會減弱。

黃　海

黃海是太平洋西部的一個邊緣海，位於中國大陸與朝鮮半島之間。黃海的平均水深為四十四公尺。其海底平緩，為東亞大陸架的一部分。黃海因其大片水域呈黃色而得名。

海洋能否成為人類的「糧倉」

海洋不能用來種植糧食，怎麼能成為人類的「糧倉」呢？人類確實還不可能在海洋裡種植水稻或小麥，但是海洋也能夠給人類提供豐富的食物，例如魚類、貝類就是滋味鮮美、營養豐富的高蛋白食物。

我們都知道，蛋白質是構成生物體的最重要的物質，是生命的基礎。現在，人類所消耗的蛋白質有百分之五至十來自海洋。二十世紀七〇年代以來，人們能夠從海洋中捕得的魚已經越來越少，因為魚類資源已日益枯竭。甚至有人開玩笑說，現在人類已經把魚的孫子都吃得差不多了。要使海洋成為名副其實的「糧倉」，至少要令魚的產量比現在增加十倍才行。研究證明，只要我們對海洋進行科學合理的開發利用，大幅度地提高魚產量是完全可行的。

自然界中有許多食物鏈。在海洋中，浮游動物以海藻為食，小魚以浮游動物為食，大魚以小魚為食……而海洋的總面積比陸地大一倍多，可是世界上海洋漁場卻屈指可數，而且大都在近海。這是因為藻類生長需要陽光和硅、磷等化合物，只有接近陸地的近海才具備這些條件。

現代海洋調查表示，在一千公尺以下的深海水中，硅、磷等含量十分豐富，但是這些礦物質難以到達溫暖的海洋表層。只有在少數範圍較小的海域中，深層海水會由於自然力的作用上升到海洋表層，給海藻提供生長所需的條件。因此，這些海域才會有大量的魚群，成為不可多得的漁場。

海洋生物

也有一些專家持樂觀態度，他們認為海洋成為「糧倉」的可能性是很大的。我們只要做一個簡單的計算就知道海洋的潛力有多大了。

如果把目前產量最高的陸地農作物每公頃的年產量折合成蛋白質，只有零點七一噸。但是在同等面積的海域中，飼養產量最高可達二十七點八噸，其中具有商業競爭能力的產量也有十六點七噸。據科學家計算，由於熱帶和亞熱帶海域接受的太陽輻射較強，在這些海域中，可供發電的溫水多達六千二百五萬億立方米。如果人們每次用其中百分之一的溫水發電，再抽同樣數量的深海水用於冷卻，然後將這一電力用於飼養海洋生物，每年可得到各類海鮮七點五億噸。

由此可以看到，使海洋成為人類未來的糧倉並不是一個夢想，總有一天能夠變成現實。

海洋也是一個「大藥庫」

隨著醫學的誕生，人類很早就開始研究各種物種的醫學價值，而這些研究大多是在陸地上進行的。但是在各種疾病層出不窮的今天，陸地上的物種已經無法滿足人們醫學研究的需求了。近年來，蘊藏著豐富資源的海洋已經成為很多科學家新的研究領域，甚至有些科學家宣稱：在二十一世紀，海洋將成為人類最大的藥庫。

近年來，一些藥學研究人員正在嘗試從微小海洋生物中，提取出有獨特功效的化合物。他們發現，從某種海綿狀生物中提取的有毒物質，有抑制癌細胞發展的作用，而從灌腸魚體內提取的某種物質有助於治療糖尿病。美國的一位海洋學專家說：「海洋生物庫猶如一個可提供有關健康問題解決辦法的諮詢中心。」

還有一些醫學專家們正在著重研究珊瑚的醫用價值。他們的研究表示，從珊瑚礁的囊中提取的某種有毒物質也具有抑制癌細胞發展的作用。從珊瑚礁中還能提取出另一些可以用於治療關節炎和哮喘病的物質。有一種產於夏威夷的含有劇毒的珊瑚，經過提煉後可以得到治療白血病高血壓及某些癌症的特效藥。還有一種產於中國南海的軟珊瑚，其提取物具有降血壓、抗心律失常等功效。

同人參、燕窩、魚翅齊名的海參不僅僅是一種珍貴的食品，更是一種名貴的藥材。牠具有提高記憶力、延緩衰老、防止動脈硬化和糖尿病的效用。而現代科學研究還發現，有幾種海參會從肛門釋放出一種能夠抑制腫瘤的毒素，也許在不遠的未來，人們就能依靠牠來戰勝癌症。

外形奇特的海馬又名龍落子，有健身、止痛、強心、消腫、舒筋活絡、止咳平喘的功效。歷來就有「北方人參，南方海馬」的說法。海馬除了用於製造各種合成藥品外，還可以直接服用，以健體治病。

味道鮮美的牡蠣肉含有鈣、鋅等多種微量元素，對老年人調理體內平衡有一定幫助。不過牠更大的價值在於，牠含有大量的牛磺酸，能夠抑制人體血管中膽固醇的生成，有防治動脈硬化之功效，甚至也被用作抗癌劑。

還有在全世界海洋中分佈很廣的鯊魚，從二十世紀八〇年代中期以來，國際上就有許多科學家對其身體各部分的藥理應用進行了悉心的研究。美國生物學家對鯊魚進行了幾十年的研究後發現，鯊魚體內很少產生病變，而鯊魚也極少患癌症，牠們似乎對癌症有著天然的免疫力。有些科學家甚至將一些病原菌和癌細胞接種於鯊魚體內，也不能使牠們患病。因此科學家們斷定：鯊魚體內含有某種能夠抗癌或者抑制癌細胞生長的物質。一九八五年，上海水產學院和上海腫瘤研究所的專家們首次發現，鯊魚血清對人類紅細胞性白血病腫瘤細胞具有殺傷作用。

以上這些研究為人類尋找治療各種疾病的「靈丹妙藥」，開闢了一片廣闊的新天地，海洋這座巨大的「藥庫」還等待著我們不斷地去開發。

海島是怎樣形成的

在無邊無際的海洋裡，如果看見一塊陸地，會令人欣喜莫名。因為這意味著船舶可以靠岸，飛機可以著陸，人們可以登岸休整。這些海洋中的陸地就是海島。

世界上有千千萬萬個海島，而且它們的形態、特徵各不相同。這些海島到底是怎麼形成的呢？經過不斷的探索與研究，人類已經發現了這些「海上明珠」形成的祕密。它們要麼是從大陸分離出來的，要麼是由於海底火山爆發而形成的，還有一些甚至是由珊瑚蟲製造出來的。因此，可以把海島分成大陸島、火山島、沖積島、珊瑚島四大類型。

大陸島是大陸向海洋延伸而露出水面的部分，其規模一般都比較大。大陸島的形成方式有三種：第一種是由地殼運動致使部分陸地陷落成為海峽，海水進入海峽後，會隔開某些最初與大陸相連的陸地，這些陸地就成了島嶼。例如世界上最大的格陵蘭島，以及伊里安、加里曼丹、馬達加斯加等島嶼，還有著名的日本列島、大不列顛群島、馬來群島等島群，以及臺灣、海南島都是這樣形成的。第二種是由冰磧物形成的小島。在遠古的冰川活動時期，冰川裡夾雜著大量的碎屑。後來氣候回暖，冰川消融，海面上升，冰磧堆未被淹沒，於是逐漸形成了島嶼。例如挪威沿岸、波羅的海沿岸、美國和加拿大東部交界處沿岸的小島就是這樣形成的。第三種是海蝕島。它非常靠近大陸，與大陸高度一致，中間僅僅隔著一道狹窄的海峽，那道海峽是海浪經年累月衝蝕的結果。海蝕島為數不多，面積也很小。

由海底火山的噴發物堆積而成的島就是火山島。火山島在環太平洋地區分佈較廣。例如阿留申群島、夏威夷群島等就是著名的火山島群。火山島按屬性分為兩種：一種是與大陸地質構造沒有聯繫的大洋火山島；另一種是位於大陸架或大陸坡海域的火山島，它們與大陸地質構造有聯繫，但又與大陸島不盡相同，屬於大陸島和大洋火山島之間的過渡類型。

沖積島則是由河流泥沙或海流沖積而成的新陸地，多出現於大河的出口處或平原海岸的外側。面積為四萬八千平方公里的馬拉若島是世界第一大河亞馬遜河的河口島，也是世界上最大的沖積島。中國長江口的崇明島和長興島、黃河口的孤島都是沖積島。加拿大東岸的塞布爾島、美國東岸的哈特拉斯角、中國的蘇北沙洲都是海流加上風力作用沖積而成的，它們的位置不是固定的，因此會給航行的船隻帶來危險。

只存在於熱帶、亞熱帶海域的珊瑚島是由小小的珊瑚蟲建造出來的，真令人驚訝！珊瑚蟲生活在海底丘地或海底山脈的山脊上，它們的數量非常多，於是同其他殼體動物構造了龐大的石灰質巢體。舊的珊瑚蟲死亡之後，新的又在殘骸上繼續生長，使得巢體也不斷向上增長。但是，在最適宜的條件下，巢體一千年也只能長高三十六公尺，長到海水高潮線就會停止增長。大海幾經滄桑，有時地殼上升，有時海水下降，使得珊瑚礁露出水面，便成了珊瑚島。珊瑚島會隨著歲月的變遷而發生變化。在火山、地震、水流或人力破壞下，有些珊瑚島縮小甚至消失了，有的卻在擴大，有的海域甚至會冒出新珊瑚島。倘能得到良好的保護，珊瑚島一般都能緩慢地擴大。可惜不少珊瑚礁已被人類採來建房、築路或燒石灰，使無數珊瑚蟲千百年的勞動成果毀於一旦。棘冠海星也是珊瑚礁的大敵，世界上已有百分之十左右的珊瑚礁被牠們吃掉了。太平洋的加羅林群島、馬紹爾群島、印度洋的馬爾地夫、中國的南海諸島都是典型的珊瑚島。

海島是人類開發海洋的遠涉基地和支點，是第二海洋經濟區，在國土劃界和國防安全上也有特殊的、重要的地位。

世界上最大的火山島

世界上最大的火山島是夏威夷島。夏威夷島東南部聳立著兩座高山。一座是冒納羅亞火山，一座是基拉韋厄火山。從大約七十萬年前到現在，這兩座火山一直很活躍，反覆噴發過。以這兩座火山為中心的夏威夷火山國家公園，作為研究了解地球結構的珍貴材料，一九八七年被列入世界遺産名録。

最大的海島——格陵蘭島

廣闊的海洋中有無數海島，其中最大的要數格陵蘭島。面積達二百一十七萬五千六百平方公里的格陵蘭島位於大西洋和北冰洋的交匯處，屬於丹麥的領土。它的面積比世界上排名第二的新幾內亞島、排名第三的加里曼丹島、排名第四的馬達加斯加島的面積總和還要多五萬四千五百五十九平方公里。

「格陵蘭」在丹麥語中的意思是「綠色的土地」。但是這個島並不像它的名字那樣充滿了春天的氣息。格陵蘭島全島約有五分之四的領域在北極圈內，島內終年冰雪茫茫，氣候嚴寒。從空中俯視格陵蘭島，它就像一片巨大的白色冰原。島上全年的氣溫都在零℃以下。在最冷的季節，島上中部地區的平均溫度為零下四十七℃，有的地方可達到零下七十℃。島上高聳的山脈、龐大的藍綠色冰山、壯麗的峽灣和貧瘠裸露的岩石組成一幅奇異的圖景。

科學家研究後發現，格陵蘭島擁有世界上最古老的一些岩石，這些岩石至少有三十七億年的歷史。因此他們推測這個島嶼，是在三十八億年前由於大陸板塊發生碰撞而形成的。這一發現使得格陵蘭島成為了世界上最古老的島嶼。

極地特有的極晝和極夜現象常在格陵蘭島出現。

每當冬季到來，格陵蘭島就會有持續數個月的極夜，島上空偶爾還會出現色彩絢麗的北極光。北極光有時如同五彩繽紛的焰火，有時又像拿著彩綢翩翩起舞的仙女，給處在漫漫長夜中的格陵蘭島帶來了無限美麗。

到夏季的時候，格陵蘭島就變成了「日不落島」，總是烈日當空，驕陽似火。大量的鳥類來到這裡繁殖，許多植物也競相生長，充分地利用二十四小時的日照。海岸附近的虎耳草和罌粟花都綻開了自己的花朵，灌木狀的山地木岑和樺樹也從嚴寒中甦醒過來。但是，島的中部地區仍然被巨大的冰山覆蓋著，在幾百公里內找不到一塊草地，也找不到一朵花。

格陵蘭島擁有十分豐富的自然資源。儘管許多鳥類來格陵蘭島只是為了繁殖，當冬季來臨時又會飛向南方，但也有些鳥類全年都駐足於此，例如雷鳥和小雪巫島。格陵蘭島上還生活著北極熊、狼、北極狐、北極兔、馴鹿和旅鼠等動物。島上的北部地區有大批麝牛，厚厚的外皮使牠們免受冰冷的北極風侵襲。在格陵蘭島沿岸水域常常見到鯨和海豹，還有鱈魚、鮭魚、比目魚和大比目魚等。島上的河流中則有鮭魚和鱒魚。

除此之外，格陵蘭島的石油和天然氣儲量也相當可觀。僅格陵蘭島的東北部就蘊藏著總量達三百一十億桶的石油，這幾乎是丹麥所屬的北海地區儲油量的八十倍。美國地質調查局預計格陵蘭島可能成為世界上最大的未開採油田之一。格陵蘭島還有豐富的鉛、鋅和冰晶石等礦藏。一九七〇年，人們還在島上勘探出了鈾、銅和鉬等礦藏，一九八九年又發現了特大型金礦。儘管格陵蘭島的天然資源豐富，但包括石油、天然氣、黃金和鑽石在內的資源，都深深埋藏在厚厚的冰層下面。受技術條件的限制，目前人們還難以將這些寶貴的資源開採出來。

「失落的天堂」——馬爾地夫

在印度洋寬廣的藍色海域中，有一片風光絕美的島嶼，它就是聞名世界的馬爾地夫群島。它是一片被白沙環繞的綠色島嶼，靜靜地躺在溫柔的藍色海波中。每年從世界各地前來遊玩的人絡繹不絕，許多遊客在領略過馬爾地夫的風光之後，都認為它是地球上最後的樂園。西方人則稱呼馬爾地夫為「失落的天堂」。

馬爾地夫群島位於印度南部約六百公里和斯里蘭卡西南部約七百五十公里處。它南北長八百二十公里，東西寬一百三十公里。它由二十六組自然環礁、一千一百九十二個珊瑚島組成，這些島嶼分佈在九萬平方公里的海域內，其中二百零二個有人居住，九百九十個是荒島。這些島嶼都是因為古代海底火山爆發而形成的，有的中央突起成為沙丘，有的中央下陷成環狀珊瑚礁圈。

風景優美的馬爾地夫群島位於赤道附近，因而具有明顯的熱帶氣候特徵。島上沒有四季之分，常年炎熱，年平均氣溫在二十八℃左右。這裡有雪白晶瑩的沙灘，如水晶般清澈的淡藍色海水，倒映在水中婆娑的椰影，以及大群大群五彩斑斕的熱帶魚，真是令人如痴如醉。

馬爾地夫風光

在島上，放眼望去盡是晶瑩潔白的白沙路。炫目的白色珊瑚礁和多半漆成藍色、綠色的門窗形成強烈的色差。這裡的房子通常築得又高又窄，據說是為了避免惡魔入侵。由於馬爾地夫曾受英國管轄，所以也有部分建築帶著濃厚的英式氣息。在這個地方，汽車似乎是多餘的，人們不是騎單車就是走路。漫步在島上的時候，就像置身於一個寧靜淳樸的世外桃源。

由於全球變暖導致冰川融化，海平面正在不斷上升。馬爾地夫大部分地區僅比海平面高出一點二公尺，因此，這座「失落的天堂」，正面臨著從地球上消失的危險。

神祕樂園——百慕達群島

距離北美大陸約九百三十公里的百慕達群島位於大西洋西部，是英國的海外自治領地。它由七個主島及一百五十餘個小島和礁群組成，呈魚鉤狀分佈，總面積約五十四萬平方公尺。百慕達群島所在的地方最初是一片汪洋。但是，在幾百萬年前，這裡的海底火山突然爆發，大量熾熱的熔岩流從火山口冒出來，形成了許多圓錐狀的小山。這些小山越「長」越高，最終「冒」出海面，形成了今天我們所看到的大大小小的島嶼。

百慕達群島是有名的「旅遊之邦」。這裡氣候溫和，四季如春。旅遊收入佔百慕達國民生產總值的五分之二。使百慕達群島蜚聲世界的「百慕達魔鬼三角」是指北起百慕達、西到美國佛羅里達州的邁阿密、南至波多黎各聖胡安的一個三角形海域。從一九四五年開始，數以百計的飛機和船隻在這片廣闊的海域神祕地失蹤。至於它們為何會失蹤，現在仍然是未解之謎。

探訪海洋中的「居民」

閃閃發光的夜光蟲和晶瑩透明的水母；
美麗無比的珊瑚、五彩繽紛的海葵；
「頂盔貫甲」的蝦蟹、「噴雲吐霧」的烏賊；
千奇百怪的魚類、古老的海龜……
牠們共同生活在海洋這個大家庭裡，
組成了光怪陸離的海洋世界。

海洋食物鏈

在生態系統中，各種生物透過一系列吃與被吃的關係，被緊密地聯繫起來了。這種生物之間以食物營養關係彼此聯繫起來的序列稱為「食物鏈」。在海洋這個龐大的生態系統中，海洋生物的種類和數量都非常多。到目前為止，誰也無法闡明海洋裡生物個體的確切數目，而且生物之間關係也非常複雜。生物學家經過多年觀察研究，用「海洋食物鏈」理清了它們之間的關係。

在海洋食物鏈中，處於最低等級的是「獨立營養生物」。海水中分佈著大量的浮游植物、海藻類植物和細菌等物質。這些海洋生物不捕食其他生物，也不依賴有機物而生存。它們大多利用水、二氧化碳、太陽光能等合成有機物給自身提供營養。這種生存方式在生物學上稱為「獨立營養」，因此人們稱它們為「獨立營養生物」。獨立營養生物是海洋生態系統中的「第一次生產者」，或者稱為「基礎生產者」。海洋的第一次生產者主要是浮游植物和海藻類。其中數量最多、分佈最廣的是浮游植物。

那些靠捕食第一次生產者而生存的生物處在海洋食物鏈的第二等級。這部分生物主要是浮游動物和幼魚，它們被稱為「第一次消費者」，也可以稱它們為「第二次生產者」。

捕食第二次生產者的生物則被稱為「第二次消費者」或者「第三次生產者」。這一生物群包括常見的鯡魚、明太魚等，也包括白長鬚鯨、長鬚鯨等大型動物。

以此類推，再往上就是第四次、第五次生產者，或者叫第三次、第四次消費者。它們幾乎都是魚類。

這個過程就是我們時常說的「大魚吃小魚，小魚吃蝦米，蝦米吃泥土（浮游生物）」。海洋生物經過四至五級的能量依次轉移，維持各生命群體之間的平衡。當接近海洋食物鏈的頂端時，生物的數目比起底部變得非常之少。在海洋中處在食物鏈頂部的是海洋哺乳類動物，如各種海獸等。

像這樣，生產者的層次由低到高分佈成階梯狀，人們將這一階梯稱為「營養階梯」。營養階梯每往上升一級，就會有部分食物被殘餘下來。食物的殘餘部分或者被用來當誘餌，或者轉化為呼吸的能量，或者以糞便的形式排出。某營養層中被捕食的數量一般為該營養層生物總量的百分之十左右，這個百分之十被稱為「生產效率」。不同的海域有不同的情況，各自的生物營養階梯也不相同。也就是說，食物鏈有長短之分。一般外海區域的食物鏈較長，生產效率較低，而在海流湧升區（海流自下向上運動）的食物鏈則較短。

海洋食物鏈在一般情況下比陸地食物鏈具有更多環節。實際上，無論是陸地上還是海洋裡，生物之間的食物鏈並非是那麼單純，而是極為複雜的。海洋食物鏈所表達的是各個營養層會發生的攝食關係。然而，海洋食物鏈的營養階級在許多時候會產生逆轉和分支。因此，現在有些生物學家認為，用「海洋食物網」的概念去描述複雜的海洋生物攝食模式更準確。

能夠製造氮肥的藍藻

藍藻又叫藍綠藻、藍細菌，是最簡單、最原始的一種藻類，出現於距今三十三億至三十五億年前。它是一種單細胞生物，沒有細胞核，但細胞中央含有核物質，通常呈顆粒狀或網狀。

藍藻因含有一種特殊的藍色色素而得名。但是，並非所有的藍藻都是藍色的。藍藻中含葉綠素 a、無葉綠素 b，含數種葉黃素和胡蘿蔔素，還含有藻膽素（藻紅素、藻藍素和別藻藍素的總稱）。一般，凡含葉綠素 a 和藻藍素量較多的藍藻就呈藍綠色。但是也有些藍藻含有較多的藻紅素，看上去就是紅色的。

藍藻的特別之處在於其體內含有一種固氮酶，它可直接進行生物固氮，從而轉化成氮肥。人們經常將藍藻放入稻田中，目的就是要藉助它們的固氮能力，為水稻提供更多的氮素營養。據估計，地球上的藍藻每年可以製造氮肥約一千萬噸。

最大的海藻——巨藻

巨藻是藻類王國中最大的一種，大多數巨藻可以長到幾十公尺長，有些甚至可以長到幾百公尺長。曾有一艘船在澳洲附近的海面上行駛時，一個船員突然指著遠方驚呼：「海蛇！」人們順著他指的方向，看見一條三四百公尺的「大蛇」在海水中游動。後來，經過調查研究，生物學家證實船員見到的並非海蛇，而很可能是一種藻類植物——巨藻。

魚群在巨藻林中穿梭

巨藻沒有真正的根、莖、葉，它的根系處長出的莖是直立的，但根系以上的地方到莖的末尾是彎曲的。巨藻在海洋中隨波浪擺動時，遠遠地看上去就容易令人誤以為是一條巨大的海蛇。

眼蟲藻是植物還是動物

植物和動物是兩種不同的生物。怎麼會有既是植物又是動物的物種呢？但是，在自然界中的確有一種生物兼具植物和動物的特徵，這種奇怪的生物就是眼蟲藻。

眼蟲藻是一種綠色藻類生物，長有紅色眼點和鞭毛，多數裸露無壁，也被稱為「裸藻」。其藻體能夠在水中伸縮變形，還能像動物一樣叢食固體食物。一方面，它透過身軀表面吸收溶解在水中的有機物質，為自己補充營養，這叫「滲透營養」。這是一種屬於動物的特徵。

但是另一方面，眼蟲藻又含有葉綠素。在有光照的條件下，它能夠像植物那樣進行光合作用，把二氧化碳和水變成醣類。眼蟲藻這種吸取營養的方式叫「光合營養」。根據這個特點，又可以說它是植物。

像眼蟲藻這種介於動物和植物之間的生物被稱為「臨界生物」。眼蟲藻的存在說明，動植物之間的界線並不明顯，它們可能擁有共同的祖先。

劇毒仙子——水母

水母是一種生活在海洋中的大型浮游生物。牠是腔腸動物家族中的一員，是低等的海產無脊椎動物。水母的出現比恐龍還早，可追溯到六億五千萬年前。

水母看上去如同一把透明的傘。水母的傘狀體直徑有大有小。普通水母的傘狀體不大，只有二十至三十公分長，而大水母的傘狀體直徑可達兩公尺。有些水母的傘狀體上還有各色花紋。在傘狀體的邊緣上長著一些鬚狀條帶，長達二十至三十公尺，這些就是水母的觸手。水母在海水中游動時，長長的觸手會向四周伸展開來。在藍色的海洋裡，這些色彩各異的精靈顯得十分美麗。

水母的傘狀體形態各異：銀水母的傘狀體能發出銀光；僧帽水母的傘狀體則像和尚的帽子；帆水母的傘狀體仿佛是船上的白帆；雨傘水母的傘狀體宛如雨傘；還有一些水母的傘狀體上閃耀著彩霞般的光芒，叫做霞水母。

看上去美麗溫順的水母，實際上十分凶猛。那些細長的觸手不僅是牠的消化器官，也是一種可怕的武器。水母的觸手上面佈滿了刺細胞，像毒絲一樣，能夠射出毒液，獵物被刺蜇過以後，會迅速因麻痹而死。然後水母就用觸手將這些獵物緊緊抓住，再用傘狀體下面的息肉吸住獵物。每一個息肉都能夠分泌出酵素，迅速將獵物體內的蛋白質分解。在炎熱的夏天裡，當我們在海邊游泳時，有時會突然感覺到前胸、後背或四肢一陣刺痛，就好像被皮鞭抽打了一樣，那準是水母在作怪了。不過，一般被水母刺到，只會感到炙痛並出現紅腫，只要塗抹消炎藥，過幾天即能消腫止痛。

但是在馬來西亞至澳洲一帶的海域中，有一種劇毒無比的水母，叫做箱水母。成年的箱水母有足球那麼大，呈蘑菇狀，近乎透明。這種水母分泌的毒液毒性很強，當這種毒液侵入人的心臟時，就會破壞心臟細胞跳動節奏的一致性，從而使心臟不能正常供血，導致人迅速死亡。一個成年箱水母的觸鬚上有幾十億個毒囊和毒針，足夠用來殺死二十個人，其毒性之大可見一斑。美國《世界野生生物》雜誌曾經綜合各國學者的意見，列舉了全球最毒的十種動物，名列榜首的就是箱水母。

鯨魚的「語言」

人類擁有各種語言，居住在不同地域的人還有自己獨特的方言。海洋如此浩瀚，那麼居住在不同海域裡的海洋動物，有沒有自己的「語言」呢？科學家們透過觀察研究後發現了一個有趣的現象：海洋中的鯨類像人類一樣擁有自己的「語言」，而且牠們也有不同的「方言」。

海豚是一種體型較小的鯨類，牠的種類在鯨類王國中是最多的。海洋學家發現，海豚共有三十二種叫聲，其中太平洋海域的海豚經常使用的有十六種，大西洋海域的海豚經常使用的有十七種，兩者通用的有九種。但是另外的幾種牠們卻互相聽不懂，這就是海豚的「方言」。

座頭鯨是鯨類中的「歌唱家」，牠不僅能夠「唱」出優美的歌曲，而且能連續歌唱二十二個小時。一九五二年，美國學者舒萊伯在夏威夷首次錄下了座頭鯨發出的聲音。後來人們用電腦分析了座頭鯨的聲音之後，發現牠們的聲音不僅有規律，而且有抑揚頓挫，美妙動聽。因而生物學家稱座頭鯨為海洋世界裡最傑出的「歌星」。座頭鯨的嗓門很大，其音量可達一百五十分貝，有些座頭鯨的聲音甚至能傳到五公里以外。而且座頭鯨對聲音很敏感，牠們可以透過彼此的鼾聲、呻吟聲和歌聲來區分性別，並保持群落中的聯繫。一個座頭鯨「家族」即使散佈在幾十平方公里的海面上，彼此仍能憑藉聲音得知每一個成員在什麼地方。

號稱「海中之虎」的虎鯨是鯨類王國中的「語言大師」。牠能發出六十二種不同的聲音，而且這些聲音代表著不同的含義。例如，虎鯨在捕食魚類時，會發出斷斷續續的「咔嚏」聲，如同用力拉扯生銹的鐵門窗鉸鏈發出的聲音一樣，魚類在受到這種聲音的恐嚇後，就變得行動失常了。更奇妙的是，虎鯨還能「講」不同的「方言」。牠們「方言」之間的差異可能像一個國家各地區的方言一樣略有不同，也可能如英語和漢語一樣有天壤之別。這一發現使虎鯨成為哺乳動物中語言能力上的佼佼者，足以和人類或某些靈長類動物相媲美。

如果說虎鯨是鯨類中的「語言大師」，那麼白鯨就是鯨類王國中最優秀的「口技大師」。白鯨可以模仿許多聲音，例如猛獸的叫聲、羊的咩咩聲、鳥兒的吱吱聲、女人的尖叫聲、病人的呻吟聲、嬰兒的哭泣聲、鉸鏈聲、鈴聲、汽笛聲等，真是五花八門，無奇不有。

當然，動物的語言不可能像人類語言那樣有著豐富的內涵，但也不能由此否定動物語言的存在。目前，科學家們正致力於研究和理解動物們的獨特語言，希望能夠將牠們的語言翻譯出來。

海洋中的「共生」生物

在海洋中，複雜的生存環境造就了許多「共生」生物。共生的傳統定義是兩種密切接觸的不同生物之間形成的互利關係。大多數生物學家仍然認同這一定義。然而，有些生物學家認為凡是發生頻繁、密切接觸的不同物種間的關係都屬於共生關係，不管其中哪方受益。這其中包括偏利共生和寄生。偏利共生指一方獲益而另一方不受影響的共生關係；寄生指一方獲益而另一方受到損害的共生關係。

海參棲居在海洋深處，在海參的體腔內常常生活著一種頭大體長的隱魚。隱魚的身體是透明的，皮膚上散佈著很多色素小點。當牠要鑽進海參體內時，牠會先找到海參的肛門，然後把尾巴插入海參的肛門，再將身體伸直，向後移動，一直到完全進入寄主的體內為止。

隱魚白天藏在海參體內，夜間出來找小甲殼類吃。隱魚的肛門長在頭部前面，因此向外排糞很方便。

隱魚雖然不吸取海參的養分，但是牠對海參沒有一點好處，而且海參的內臟器官有被隱魚搗毀的危險。一條海參的體腔內往往有幾尾隱魚。人們曾經發現，有一條海參的體內竟然生活著七尾隱魚。

隱魚為什麼要寄生在海參的體內呢？原來，以海參為食的動物很少，隱魚是將海參當成了「避險洞」。

生活在海洋裡的儷蝦比隱魚躲藏得更巧妙。儷蝦一般成對地在硅質海綿的體內度過自己的大半生。海綿就像一個「籠子」，裡面關著「儷蝦」。但是，這個「籠子」並沒有門，儷蝦是怎樣進去的呢？

原來，當儷蝦還很幼小的時候，就會雙雙從海綿的小孔游進去。儷蝦慢慢長大了，就無法跑出來了，只能被終生幽禁在海綿體內。好在海綿並不會「難為」牠們，儷蝦能安穩地生活下去。因為海水可以從海綿體內流進流出，隨時帶進去一些食物，所以儷蝦「夫婦」在「籠」中的生活倒也安逸，還不用擔心到敵害侵擾。牠們與硅質海綿共棲終生，一起偕老。

除了儷蝦這位「房客」，海綿多孔的身軀裡還寄居著許多其他的動物。

美國佛羅里達的暗礁上生活著一種大海綿，人們曾經在那裡發現有一隻海綿體內棲居了一萬三千五百隻小動物。其中有一萬二千隻小蝦，還有許多小魚及十八種不同蟲類的幼體。

一種叫角鮟鱇的魚類的寄生現象就更不可思議了。還有雄性角鮟鱇一生中大部分時間都寄生在雌性角鮟鱇的身上。雌魚的身軀要比雄魚大上十倍。牠們棲居在海洋深處不見陽光的地方，行動遲鈍，找尋配偶的機會很少。雄魚一出生，就忙著尋找雌魚，找到以後，就終生附著在雌魚身上了。有的雄魚附在雌魚的頭上，有的附在雌魚的腹部，還有的附在雌魚的前鰓蓋下面。雄魚用嘴吸附在雌魚的身體上，牠的唇和舌就跟雌魚皮膚連接起來。最後，兩條魚會完全合成一體，連血管也相通。雄魚的嘴、齒、鰭、鰓幾乎都退化了，只有生殖器官還保留著。這種雌雄同體的關係，不僅在魚類中很少見，而且在脊椎動物中也是獨一無二的。

海獸善於潛水的祕密

相信很多人都夢想著到神祕的海底世界中遨游，近距離接觸那些多姿多彩的海洋生物。距今一千七百年前的中國史書《魏志倭人傳》中，就已經有了漁夫在海裡潛水捕魚的記錄。隨著科學技術的發展，人類已經能夠藉助各種裝備實現遨游海底的願望。當然，也有專門的潛水員不需要藉助任何裝置就能潛水，但是他們一般只能潛到水下五六十公尺處，而且只能在水下停留很短的時間。然而，生活在海洋中的許多海獸卻不需要任何裝備就能夠在海底自由游弋，牠們的潛水本領實在令人類望塵莫及。

因為各自的生活習性以及捕食的對象不同，所以各種海獸潛水的本領也不同。例如，海豚以各種魚類為食，牠們可下潛到一百至三百公尺的深度，潛水時間可達四至五分鐘。抹香鯨喜歡捕食深海大烏賊，每當牠們發現自己愛吃的獵物就會窮追不捨，甚至會潛到超過水下一公里深的地方。

我們知道，在水中潛得越深，所受到的水的壓力就越大。那麼那些下潛到海洋一公里深處的海獸，所承受的壓力相當於數百個大氣壓，牠們為什麼能夠承受如此大的壓力？牠們的身體究竟是如何適應水下的壓力變化？科學家多年來一直在研究這些問題，希望能夠發現海獸潛水的祕密，以幫助人類潛到更深的水中。

海獸也需要足夠的氧才能在深海中潛游。但是海獸和魚不同，牠們沒有鰓，不能直接從海水中攝取氧。因此，海獸下潛時體內必須儲備足夠的氧。

科學家透過觀察發現，斑海豹在潛水時，有時是呼氣後潛水，有時是吸氣後潛水。他們對這一現象進行了研究，結果發現海豹在下潛時，並不是主要靠肺部來儲氧，而是透過血液來儲氧。因此，海獸的血液是牠們的「氧氣倉庫」。

由於海獸長時間生活在海洋中，時常需要潛水，所以其身體結構已經發生了許多變化。例如，牠們的胸部等地方有許多特殊的血管網，靜脈管裡有許多活瓣，能在短時間內積蓄大量血液。當牠們潛水時，全身的血管會收縮，從而產生大量過剩血液來儲氧。牠們透過這種方式，減輕了心臟負擔，填補了因肺中的氣體被壓縮而形成的胸腔空間，提高了潛水適應性。科學家還發現，海獸除了用血液儲氧，牠們的肌肉也有較強的儲氧能力。海獸肌肉中所含的呼吸色素比陸生獸類高出許多倍，其儲氧量可佔全身儲氧量的百分之五十。

海獸高超的潛水本領還在於，牠們不僅能迅速下潛，而且能夠驟然上浮。牠們在深及上千公尺水深的範圍內上上下下，卻不會患潛水病。這是為什麼呢？人們發現，鯨在潛水時，其胸部會隨外界壓力的增加而收縮，肺也隨之縮小，肺泡自然變厚，氣體交換停止。這樣，氧氣就不會溶解於血液中，鯨就不會患潛水病了。但是人類在潛水時仍然需要不斷地補充空氣，肺泡卻無法收縮，氧氣必然會溶解到血液中去，因而就容易患潛水病。

目前，人類還無法完全將海獸潛水的生理機制運用到自身的潛水活動中去，尤其是海獸不患潛水病的機制。但是相信在不久的將來，人類一定能夠像海獸一樣隨心所欲地在海水中遨游。

魚兒喝不喝水

如果你仔細觀察魚類，就會發現水中的魚兒嘴巴總是一張一合的。很多人都認為那是魚兒在喝水，其實牠們並不是在喝水，而是在呼吸。魚兒的嘴巴不停地一張一合，是為了讓水快速流過牠的呼吸器官——鰓，以便吸取水中的氧氣，釋放出體內的二氧化碳。

生活在淡水中的魚從不需要喝水。這是因為魚的血液和組織液中含有很多鹽和蛋白質，其濃度要比周圍的淡水高。我們都知道，水是從濃度低的溶液向濃度高的溶液流動，因此周圍的淡水會從四面八方滲入淡水魚的體內。所以這些淡水魚不但不需要喝水，牠們的腎還需要拼命運轉來排出多餘的水分，以免自己被水脹死。

生活在海中的魚則正好相反，牠們經常需要喝水。因為海水中的含鹽量比這些魚體內的含鹽量高得多，海水拼命地「吮吸」著魚體內的水分，使牠們不得不頻繁地喝水。但是海水中含有這麼多鹽，怎麼能喝呢？原來，海水先透過魚的嘴巴進入腸內，透過腸壁的滲透作用再進入體內，然後由腎臟排出一部分鹽分。但是，此時魚的血液內的鹽分含量還是比較高。幸好牠們的鰓除了有呼吸作用，還有一種「泌氯細胞」，可以吸收血液裡的鹽分，經過濃縮將鹽隨黏液一起排出體外。透過這一系列的「排鹽工程」，海水魚就相當於喝到了淡水。不過，也有些海水魚例外，例如鯊魚就不需要喝水。鯊魚是軟骨魚，牠沒有腮蓋。但是鯊魚的頭部後面有五至七個腮裂，牠的腮就在這裡面。鯊魚身上有許多毛細血管，這些毛細血管可以直接從水中吸收氧氣，排出二氧化碳。

魚鰓的功能

魚的鰓有四種功能：一是呼吸，這是主要功能。二是濾食，特別是浮游生物食性的魚類，水中的浮游生物透過鰓絲過濾，進入口腔。三是重要的排泄器官，鰓組織的病變將造成氨氮的排泄受阻，血液中氨氮含量升高，將影響到魚體內滲透壓調節機能。 四是用來進行與體外環境的氣體交換。

「百變」的章魚

在印尼海域，澳洲海洋生物學家發現了一種章魚，牠的偽裝術非常高明，牠能夠惟妙惟肖地假扮成其他海洋生物。有時，就會把牠的八條腕足纏成一條，扮成海蛇嚇退敵人；或者收起腕足，令自己看上去就如同一條全身長滿毒腺的魚，以打消襲擊者獵捕牠的念頭；再就是將自己的腕足伸展開來，假扮成長有斑紋和毒鰭刺的獅子魚，使敵人望而生畏。

章魚為什麼如此聰明？牠又是怎樣完成各種偽裝的呢？科學家透過研究後發現，章魚的每一條腕足都具有發達的神經系統，並不完全受其大腦的控制而行動。在某種程度上，我們可以把章魚的大腦比做一間公司的首席執行官，只負責做出重大決定；而章魚的八條腕足就如同下屬，有權自己處理細節問題。這是科學家首次在動物身上發現的一種異常特性。

奇怪的比目魚

比目魚又叫鰈魚，棲息在溫帶海域淺海區的沙質海底，以捕食小魚蝦為生。比目魚長得很奇特：身體扁扁的，左右兩側很不對稱，一邊突出，一邊平，整體看上去就像是半片魚。更有趣的是，牠的兩隻眼睛長在頭部的同一側，這一側身體的顏色通常與牠生活環境的顏色很相似，另一側則為白色。牠的身體表面有極細密的鱗片。另外，牠只有一條背鰭，從頭部幾乎延伸到尾鰭。

在古代，人們以為比目魚是雌雄魚合攏在一起游動的，就好像夫妻並肩前進一樣，於是將牠看做象徵忠貞愛情的奇魚。古人還留下了許多吟誦比目魚的詩句，如「鳳凰雙棲魚比目」、「得成比目何辭死，願作鴛鴦不羨仙」，清代著名戲劇家李漁曾寫了一部描寫才子佳人的愛情故事，其名稱就叫《比目魚》。其實，這只是人們美好的想像而已，兩條同類的比目魚是永遠不能合攏到一起的。

比目魚的種類包括牙鮃、高眼鰈、條鰨、半滑舌鰨等。不同種類比目魚的魚眼也生得不同。鮃和舌鰨的兩眼長在身體左側，鰈和鰨的兩眼卻長在身體右側。

比目魚的眼睛為什麼會長到一起呢？其實，比目魚這種奇特的外形並不是與生俱來的，剛孵化出來的小比目魚跟其他魚類一樣，兩隻眼睛也對稱地長在頭部兩側。牠們生活在海水的上層，常常在海面附近游泳。大約二十天後，小比目魚的形態開始發生變化。牠一側的眼睛開始「搬家」，透過頭的上緣逐漸移動到對面的一邊，直到跟另一隻眼睛接近時才停止移動。不同種類的比目魚眼睛搬家的方法和路線也有所不同。比目魚的頭骨是軟骨構成的。當比目魚的眼睛開始移動時，比目魚兩眼間的軟骨會先被身體吸收，這樣，牠的眼睛移動起來就沒有障礙了。比目魚眼睛的移動使牠的體內構造和器官也發生了變化。這時的比目魚已經不適應漂浮生活，只好棲息於海底了。

比目魚的生活習性非常有趣。牠不擅長游泳，在水中游動時不像其他魚類那樣脊背向上，而是有眼睛的一側向上，側著身子游泳；頭和尾像波浪般地運動著，動作很慢，容易被大魚吞食掉。因此，牠常常單獨平臥在海底，在身體上覆蓋上一層沙子，只露出兩隻眼睛凝視著周圍的動靜，以等待獵物、躲避捕食。這樣一來，牠的兩隻眼睛長在一側的優勢就顯示出來了，當然，這也是動物進化與自然選擇的結果。

另外，比目魚的顏色也使牠很適應在海底生活。例如，佛利鰈眼睛所在的一側呈灰色，中間還夾雜著橄欖色，看上去就像大理石的花紋。也有些佛利鰈是黃色或黑色的，同周圍的泥沙和石礫很相似。因此，只要牠不游動，就很難被發覺。地中海鮃能隨著環境的改變而變色。牠能變成黑色、褐色、灰色和白色等。牙鮃的變色本領就更大了，在白色、黑色、灰色、褐色、藍色、綠色、粉紅色和黃色的環境裡，牠都能巧妙地使自己變得同周圍的色彩相一致。

比目魚肉質鮮嫩，味道鮮美，是上等經濟魚類。由於海洋水產資源逐漸減少，世界上一些國家透過人工繁育養殖海產經濟魚，而比目魚就是其中一個主要的對象。

飛魚「飛翔」的祕密

在神奇的動物王國裡，除了鳥類之外還有許多會飛的動物。在中國南海和東海上航行的人們，經常能看到這樣的情景：遼闊的海面上，突然躍出了成群的魚，牠們猶如群鳥一般掠過海空，翱翔競飛。有時候，牠們在飛行過程中還會落到航船的甲板上面，使船員「坐收漁利」。這種像鳥兒一樣會飛的魚，就是聞名遐邇的飛魚。牠既能在海洋中游來游去，又能夠飛上天空。

飛魚的外形很奇特。牠的整個身體就像人們用來織布的「長梭」，兩側長著一對長長的胸鰭，最長可達體長的四分之三，看上去就像鳥兒的翅膀一樣。憑藉著流線型的優美體型和發達的胸鰭，牠不僅能在海中以每秒十公尺的速度高速游動，還能夠躍出水面十幾公尺，像鳥兒一樣飛翔。飛魚能在空中停留四十多秒，飛行的最遠距離有四百多公尺。牠們一般不會輕易躍出水面，只有在遭到敵人攻擊的時候，或者受到輪船引擎震動聲刺激的時候，才會施展出這種特殊的本領。當飛魚遇到襲擊時，便會在水下加速游動，游向水面時，牠的胸鰭緊貼著流線型身體。一衝破水面牠就把大鰭張開，同時用尾部快速、猛烈地拍擊水面，從而獲得騰空的力量，整個身體就如同離弦的箭一樣射向空中。等到尾部完全出水後，飛魚就會以每小時十六公里的速度，滑翔於水面上方幾公尺處。在空中飛行的時候，飛魚的胸鰭並不會像鳥兒的翅膀那樣扇動，牠只能靠尾部的推動力在空中做短暫的「飛行」。在飛行幾公尺、幾十公尺甚至更遠的距離後，飛魚才會回到水中。

嚴格說來，飛魚的「飛行」其實只是一種滑翔而已。有人曾做過這樣的試驗：將飛魚的尾鰭剪去，再將牠放回海裡，由於牠沒有像鳥類那樣發達的胸肌，不能扇動「翅膀」，所以沒有了尾鰭的飛魚再也不能騰空而起了。原來，尾鰭才是牠「飛行」的「發動器」。

飛魚在空中滑翔時，有時也會被正在空中飛行的海鳥所捕獲，或者撞在海島、礁石上喪生，有時還會跌落到航行中的輪船上，成為人們餐桌上的美味。這種情況一般發生在晚上，因為飛魚的眼睛在白天很敏銳，但是在沒有光的情況下，牠就只能盲目地「飛翔」了。

神奇的發光魚

在黑暗的夜晚，我們有時候會發現海面光影閃爍，但那並不是航船上的燈火，在陽光照射不到的海洋深處常常也是「燈光」點點。這是為什麼呢？原來，在海洋中生活著許多發光生物。牠們給陽光難以到達的深海和黑夜籠罩的海面帶來了光明，使浩瀚的大海顯得分外美麗。

會發光的魚

人們透過調查研究後發現，在海洋的黑暗層裡生活的魚類，至少有百分之四十四能夠發光。牠們憑藉「發光」這一特異功能，能夠在黑暗中看見其他物體，便於自己捕食。不過牠們這項獨特本領並不僅僅是用來照明的。有些魚發光是為了誘捕食物，有些是為了吸引異性，有些是為了聯繫同伴，還有些則是為了迷惑敵人。

有些魚本身不具有發光的本領，牠們只是利用寄生在自己身上的發光細菌發光，人們稱這類魚為「他發光魚」。

中國東南沿海的帶魚和龍頭魚就是他發光魚，牠們身上附著一些發光細菌，所以才能發光。牠們身上的發光細菌內含有熒光素和熒光酶，熒光素在熒光酶的催化作用下就會發生化學反應，生成氧化熒光素，同時釋放出光子而發出光來。

更多會發光的魚則有自己的發光器官，這種魚被人們稱為「自發光魚」。牠們的發光器官裡有一種能夠製造光亮的細胞，這種細胞能夠分泌出一種含磷的黏液，這種黏液一旦和血液中的氧接觸，就能夠發出光來。

例如，燭光魚的腹部和腹側就有很多發光器，看上去就像一排排蠟燭一樣，牠也由此而得名。美國的光頭魚也是一種自發光魚。這種魚沒有眼睛，牠的發光器就是牠的「眼睛」。印度洋裡有一種燈眼魚，在牠的眼睛下面，有一個很大的發光器官，長在一個能活動的短柄上，就像一個能提來提去的燈籠。這盞「燈」還可以縮進去，藏在眼睛下面的一個囊裡。還有燈魚，牠的發光器官鑲嵌在腹側，雖然數目不多但發出的光卻很強烈，如同耀眼的寶石一樣。有些鯊魚也能發光。例如，角鯊發出的光是一種強烈的綠色磷光，是從散佈在皮膚裡的許多發光器官中發出的。

各種發光魚發出的光顏色也不盡相同。有些魚能發出白光和藍光，有些魚能發出紅光、黃光或者綠光，還有些魚能同時發出幾種不同顏色的光。例如，有一種生活在深海裡的魚具有很大的發光器官，能發出藍光和淡紅光，而遍佈全身的其他微小發光點則發出黃光。

有趣的爆火魚

爆火魚生活在大洋洲所羅門群島周圍的海域，以能夠爆出火花而聞名。爆火魚個頭很小，和人的手指差不多大。牠的頭部尖尖的，身體扁長，尾部像燕子尾巴似的分著叉，所以人們又叫牠「燕尾爆火魚」。爆火魚身體表面粗糙無鱗，上面長著許多灰褐色的顆粒狀魚斑，看上去沒有一點美感。

但是當許多爆火魚在一起游動的時候，牠們的身軀相互摩擦就會「劈里啪啦」地爆出火花，看上去就像正負電極碰撞時發出的電光。當爆火魚成群結隊地在海洋中游弋時，牠們爆出的火花十分耀眼，劈啪聲此起彼伏。

為什麼爆火魚之間相互摩擦就能夠發出火花呢？原來，爆火魚的全身都覆蓋著鱗片，牠們的皮膚上沉積著很多磷。這種磷和我們平常用的火柴盒上的磷一樣，只要一摩擦就能發出火花。所以當牠們彼此擦身而過的時候，皮膚上的磷受到摩擦而生熱，便發出火花來。

海洋中的「蝙蝠」——蝠鱝

在熱帶和亞熱帶的淺水海域，生活著一種形似蝙蝠的軟骨魚類——蝠鱝。蝠鱝那奇怪的外表令人很難將牠與魚類聯想到一起。牠那寬大而平扁的頭部兩側長著一對小眼睛，既能側視，又能斜看；頭上長有兩隻可以擺動的「角」，就像兩隻長長的耳朵，其實這是牠的頭鰭；一張大嘴又寬又扁；身體左右兩個三角形的胸鰭就像一對翅膀，和身體構成一個龐大的菱形體盤；背上披著灰綠底色帶白斑的外衣，腹面呈白色；身後還拖著一條長鞭般的尾巴。最小的蝠鱝體長不超過六十公分，而最大的則可超過七公尺。據記載，人們在巴哈馬群島曾捕獲一條蝠鱝，其體寬為六點七公尺，長約五點二公尺，重量達一千三百多公斤。

蝠鱝主要以浮游生物和小魚為食，經常在珊瑚礁附近巡游覓食。牠捕食的姿勢在動物界裡是絕無僅有的，牠常常用頭鰭把浮游生物和小魚快速撥進牠寬大的嘴裡。牠的頭鰭起著「筷子」的作用。

蝠鱝在海水中游動的時候，上下擺動胸鰭，行動敏捷，就像蝙蝠在鼓翼飛行一樣。到了繁殖季節，雌、雄蝠鱝常常結伴游到海面曬太陽。牠們高興起來還會鼓動雙鰭躍出海面，甚至還會在海面上方拖著長尾巴滑翔。牠的飛翔能力雖然不如飛魚，但是牠那碩大的身軀能出水騰空也實在是不簡單。

蝠鱝那「淩空飛躍」的絕技實在令人驚嘆！人們觀察後發現，蝠鱝在躍出海面前需要做一系列準備工作：在海中以旋轉的方式上升，接近海面的同時，轉速和游速不斷加快，直至躍出水面，時而還會伴以漂亮的空翻。牠落水時，發出「砰」的一聲巨響，場面十分壯觀。

蝠鱝在英語中被稱為「魔鬼魚」，主要是因為其外形駭人。實際上，蝠鱝是一種非常溫和的動物。蝠鱝平時喜歡獨自在大海中暢游，緩慢地扇動著胸鰭在海水中悠閒地游動，過著四海為家的流浪生活。而且牠沒有任何「佔地」行為和攻擊性。牠從不攻擊其他海洋動物，在遇到潛水者時，常常會羞澀地離開。兩隻蝠鱝相遇時也會相安無事。不過，有些好奇心強的蝠鱝，會受到潛水者氧氣瓶產生的氣泡吸引而迎上前來，並喜歡被人類撫摸軀體。有些性情活潑的蝠鱝常常還會搞些惡作劇。有時牠故意潛游到在海中航行的小船底部，用胸鰭敲打著船底，發出「啪啪」的響聲，使船上的人驚恐不安；有時牠又跑到停泊在海中的小船旁，將頭鰭掛在小船的錨鏈上，把小鐵錨拔起來，使人不知所措；又或是拖著小船飛快地在海上跑來跑去，使漁民感到莫名其妙。

雖然蝠鱝沒有攻擊性，但是在受到驚擾的時候，牠的力量足以擊毀小船。牠的個頭和力氣常使潛水員害怕，因為一旦牠發起怒來，只需用牠那強有力的「雙翅」一拍，就會碰斷人的骨頭。

蝠鱝是卵胎生的。同某些鯊魚一樣，牠的卵在母體內孵化，母體不產卵而直接產出幼魚來。牠一胎產一隻小蝠鱝，不像其他魚兒一產卵就是成千上萬粒。小蝠鱝出生以後，很快就會游泳，並且能獨立謀生。

雄性產子的海馬

在動物世界中，一般是由雌性擔負著生兒育女的職責。然而有一種海洋動物卻是例外，這種動物由雄性負責生育下一代，牠就是海馬。

外形奇特的海馬屬於硬骨魚，是一種珍貴的近陸淺海魚類。海馬是最不像魚的魚類，集馬、蝦、象三種動物的特徵於一身。牠的頭部酷似馬頭，眼睛又和變色龍的眼睛差不多，身體像蝦一樣，還有一條形如象鼻的尾巴。海馬靠搖動背鰭維持平衡，牠還能利用靈活細長的尾巴進行彈跳。

海馬的習性也較特殊，牠喜歡棲息於海藻叢生的地方。牠的體色隨環境改變而發生變化。海馬比較懶，常常把尾巴纏附於海藻的莖枝之上，或者倒掛在漂浮著的其他物體上隨波逐流。即使為了攝食或其他原因必須離開纏附物，過一會兒，牠又會找一個物體附著其上。海馬的游泳姿勢十分優美，魚體直立在水中，完全依賴背鰭和胸鰭做高頻率的波狀擺動而緩慢地游動，其速度僅達每分鐘一至三公尺。

海馬的雌雄鑑別很簡單，雄海馬有育兒袋，而雌海馬沒有。海馬是世界上唯一一種以雄性孕育下一代的動物。這一奇特的繁殖方式，實際上是為了保護後代在發育期間不被其他動物傷害。每當繁殖季節到來的時候，雄海馬體側的腹壁就會向身體的中央線方向形成褶皺，逐漸合成一個寬大的育兒袋。

每年的五至八月是海馬的繁殖期，這期間海馬媽媽會把卵產在海馬爸爸腹部的育兒袋中。育兒袋裡有濃密的血管網層，這些血管又與胚胎的血管網相連，雌海馬的卵便在裡面吸收發育所需要的營養。大約二十天後，雄海馬便會「分娩」。其實從嚴格意義上來說，海馬爸爸並不能生育。牠的育兒袋只是起到了孵化器的作用，卵還是來源於海馬媽媽。

小海馬從孵化到出生的這段時間都和海馬爸爸在一起。小海馬在受到驚嚇時，會迅速游回爸爸的育兒袋去。不過，雖然育兒袋裡既安全又舒適，但是逐漸長大的小海馬還是會毫不留戀地奔向大海，去迎接新的生活。

大海裡的「魚醫生」

人類生了病就會請醫生為自己治病，生活在海洋中的魚兒也會去「求醫治病」。在浩瀚的海洋中，時常有些魚會受到病菌和寄生蟲侵襲而生病，還有些魚會在鬥毆殘殺中受傷。魚兒生病、受傷後就會到「魚醫生」那裡去「看病」。「魚醫生」是一種名為清潔魚的小魚，當有魚來「求醫」時，牠便伸出尖尖的嘴來清除「病人」傷口上壞死的組織和魚鱗、魚鰭、魚鰓上的寄生蟲、微生物。這樣既可以為同胞治病，又可以讓自己美餐一頓。

「魚醫生」的學名是霓虹刺鰭魚，體型較小，身長不過五十公分，身體表面光亮鮮艷。牠專門用針狀的嘴為各種各樣的魚治病，哪怕是專吃小魚的凶惡鯊魚來「求醫」，牠也不會拒絕。當然，鯊魚也不會傷害牠的「醫生」。

「魚醫生」不可能像人類的醫生那樣，憑藉各種醫療器械和藥物為「病人」治病。牠只憑嘴巴去清潔病魚傷口上的壞死組織和致病的微生物，而這些被清除的污物就是「魚醫生」賴以生存的食物。「魚醫生」和牠的病人之間也形成了一種相互依賴的關係。每天都有許多生病或受傷的魚到「魚醫生」的「醫療站」來列隊「候診」。病魚的樣子看上去很可憐，牠們總是無精打采地扇動著魚鰭。但是在小巧玲瓏的「魚醫生」面前，病魚就一動也不動地垂直站立，就像被施了催眠術一樣。

「魚醫生」總是有求必應，耐心地為「患者」服務。一天之內，牠可以治療三百多位「患者」。「醫療站」一般開設在淺水區，大約位於十公尺深的海洋暖水層的珊瑚礁和突兀岩中間。別看在海洋中的其他地方是大魚吃小魚，凶魚吃善魚，可是在這裡，幾乎所有的魚都相處得很好。但是，有時候也有不守紀律的病號你推我搡地擠在「魚醫生」周圍，想搶先看病。「魚醫生」不喜歡喧鬧，遇到這種情況時，牠就會不耐煩地退到隱蔽的地方去。然而，病魚群總是會擋住牠的去路，「魚醫生」只得重新開始工作，為病魚「治病」。

「魚醫生」不會攻擊其他魚類，不會偽裝自己，只是默默無聞地為別的魚服務，而且樂在其中。因此，牠才能在海洋的複雜環境中與衆魚和諧相處，安享太平。

海中「活化石」——海龜

海龜早在二億多年前就出現在地球上了。古老的海龜和恐龍一同經歷了一個繁榮昌盛的時期。後來，地球幾經巨變，恐龍逐漸滅絕，海龜也開始衰減。但是，海龜憑藉那堅硬的背甲所構成的龜殼，戰勝了無數次災難，頑強地生存了下來，真是名副其實的海中「活化石」。海龜還是一種長壽的動物，壽命最長可達一百五十二年，是動物中當之無愧的壽星。

海龜

如今，海龜是海洋中軀體最大的爬行動物。牠們主要生活在熱帶海域，偶爾會隨著暖流來到溫帶海域，但不在溫帶產卵繁殖。目前，世界上生存著八種海龜：棱皮龜、蠵龜、玳瑁龜、橄欖綠鱗龜、大海龜、綠海龜、麗龜和平背海龜。所有的海龜都被列為瀕危動物。最大的海龜是棱皮龜，一般長達二公尺，重達一噸。最小的是橄欖綠鱗龜，約有七十五公分長，四十公斤重。

海龜沒有魚一樣的鰓，儘管可以在水下待上幾個小時，但還是要浮上海面調節體溫和呼吸。海龜早已適應了在海洋中的生活。牠們不需要喝淡水，游泳時強勁有力，能夠在水中潛游很長時間。牠們那像翅膀一樣的前肢，主要用來推動身體向前游動，而後肢就像是方向舵，讓牠們在游動時掌控方向。海龜沒有牙齒，但是牠們的喙卻非常銳利。不同種類的海龜有著不同的飲食習慣。有的海龜以植物為食，有的以動物為食，還有的是雜食性的。

海龜最獨特的地方就是牠的龜殼。龜殼使海龜免受來自外界的侵犯，讓牠們可以在海底自由自在地游動。除了棱皮龜之外，所有的海龜都有龜殼。棱皮龜身上有一層很厚的油質皮膚，呈現出五條縱棱。與陸龜不同的是，海龜不能將牠們的頭部和四肢縮回殼裡。

大多數海龜都有遷徙的習性。海龜自破殼而出之日起，便開始了漫長的旅行生涯，並在旅行途中不斷成長發育。海龜從出生地遷徙到尋找食物的地方，往往要游很遠的距離。其中棱皮龜遷徙得最遠，牠們要到五千公里外的海灘去築巢。但是到了繁殖季節，海龜們就會成群結隊地回到老家交配產卵、繁衍後代。

海龜一定要在陸地上產卵。每年的五到八月是海龜的生殖季節，牠們會漂洋過海回到出生的地方，爬到岸上。然後牠們會用後肢靈巧地挖好卵坑，把卵產在坑裡，再用沙土埋好。海龜一次產卵五十至二百枚，卵的大小、形狀跟乒乓球很像。但是幼海龜成活的機率只有千分之一。在大約兩個月的孵化期過後，小海龜就會破殼而出。小海龜需要幾天的努力才能爬到地面上，牠們總是在夜色下爬出沙巢，然後本能地爬向大海。

在成熟之前，雄性海龜和雌性海龜的體態是一樣的。當雄性海龜成熟時，尾巴會變長變厚，因為牠的生殖器官長在尾巴底部。不同種類的海龜有不同的成熟年齡。例如，玳瑁海龜三歲就成熟了，綠海龜在二十至五十歲才成熟。

在茫茫大海中，海龜表現出了高超的辨識歸途的能力。海龜是怎樣辨識歸途的呢？這至今是一個未解之謎。

有人認為，海龜可能同某些洄游魚類一樣，體內有著某種能利用地球磁場或重力場辨識方向的「羅盤」。同時，牠們還有自己的生物鐘，白天能根據太陽的方位和高度確定方向，晚上靠天上的星星來導航。還有人認為，海龜對出生後第一次接觸的海水氣味有著驚人的記憶力，牠就靠敏銳的嗅覺來辨認歸途。

科學家一直在研究海龜回歸旅行萬里而不迷途的本領，期望有朝一日能夠揭開其中的奧祕，並根據其原理研製出新型的海上導航儀器。

生活在南極海洋的生物

南極大陸是一個異常寒冷的地方，那裡不僅動物難以生存，連植物也很少見。但是，在南極大陸附近的海洋中，卻生活著不少海洋生物，形成了一個生機盎然的南極海洋生物群落。這個生物群落中的成員多達數千種，從單細胞的浮游植物到幾公尺長的大型海藻；從小型的浮游動物到大型的哺乳動物；從會飛的海鳥到不會飛的企鵝……形形色色，千姿百態。

南極地區終年寒冷，南極海洋上多有風暴而且容易結冰。在冬季，海洋總面積的近一半會結冰。然而到了夏季（十一月至次年一月），其日照量和中緯度地區基本沒什麼差別。就是這一時期的日照和營養鹽，使得海洋內的硅藻等藻類在短時間內迅速繁殖起來了。那些以藻類為食的草食性浮游動物如南極磷蝦等也隨之大量增加。接著箭蟲類等肉食性浮游動物也開始增加。生活在這裡的鯨、海豹、海鳥、企鵝、魚等動物，就直接以磷蝦類、草食性橈腳類（小型甲殼類）為食。南極海洋的食物鏈就這樣逐漸形成了，由此可見，南極生物圈的食物鏈比起中低緯度的海域要簡單得多。

冰藻是南極海洋生物圈中最重要的第一次生產者。每年一過三月，南極海洋的海面就開始結冰，海洋中的浮游生物便會減少。但是，在新結成的冰面下，附著一種以硅藻為主的藻類——冰藻。冰藻在這時會開始生長。不懼寒冷的冰藻在經過大量繁殖後，會聚集成巨大的塊狀物，然後下沉到海底成為棲息在海底的貝類或蟹類的食物。另外，在水下的窪地也生活著許多小型橈腳類動物。

南極磷蝦是南極海洋中最重要的甲殼類浮游生物，也是南極海洋中數量最大的生物資源和食物鏈中最關鍵的一環。南極磷蝦密集成群，是長鬚鯨、座頭鯨等鬚鯨類的主要食物。據初步調查，人類保守估計南極海域磷蝦的總量為六至十二億噸，每年可捕獲五千萬噸，而不會影響生態平衡。日本、前蘇聯、挪威、智利等國家於一九七〇年就開始進行南極磷蝦的捕撈工作。在日本，這種磷蝦常被當成魚餌用來釣魚。

在南極海洋零下二十℃的嚴寒環境中，仍有許多魚存在，冰魚是其中最有代表性的。冰魚的身體長約五十公分，牠們在冰塊間游弋，以冰藻和甲殼類動物為食。最不可思議的是，冰魚的血液中沒有紅血球，所以牠們的血液是無色的。一般魚的鰓部是紅色的，而冰魚的鰓部也是透明的。

企鵝大概是南極海洋生物中最著名的了。企鵝是一種不會飛的海洋鳥類，但是牠們卻非常善於游泳。在企鵝的一生中，生活在海裡和陸地上的時間約各佔一半。牠們主要以南極磷蝦為食，有時也捕食一些腕族類動物、烏賊和小魚等。

除了這些極具代表性的「居民」，南極海洋中還生活著很多其他的生物。人類可以從這些生物身上探索出南極生態系統的奧祕，研究生物進化的歷程。而且由於南極生物千萬年來遠離人類居住區，受到的干擾較小，因此牠們對環境的變化極為敏感。牠們就像是活生生的環境監測儀，我們可以透過研究其變化來探索地球環境的變化。

海洋是風雨的故鄉，
海洋是地球的「空調」，
平靜的海洋很溫柔，
「發怒」的海洋很可怕。
海洋就是這樣，
時而溫柔，時而殘酷，
令人捉摸不透。

風雨海上來

刮風、下雨都是最常見的自然現象。有句古詩說「山雨欲來風滿樓」，在大多數情況下，刮風、下雨就像一對形影不離的好朋友，總是結伴而行。然而風雨是從哪裡來的呢？肯定會有人回答風和雨都是天上來的，事實到底是不是這樣呢？

其實，風和雨的成因沒那麼簡單，不同的風雨各有不同的成因。人們透過科學調查和研究後發現，從地球宏觀水循環的觀點來看，風雨起源於海洋，海洋是風雨的故鄉。

地球上共有大約十五億立方公里的水，其中約有十三億七千萬立方公里的海水。每天都有大量的海水不斷地變成水蒸氣飛散到空中，海面上就會形成一些吸滿水的濕氣團。濕氣團靠太陽和海洋供給的能量，飄到大陸上空形成了雲，然後以雨雪的形式降落到地面，再隨著江河返回海洋。風雨從海洋開始，最後又回到海洋，因此我們說海洋是風雨的故鄉。

颱風和颶風就是典型的海陸水循環現象。颱風一般生成在赤道附近的熱帶海洋上。在太陽終年直射的赤道附近，大量的太陽能量被吸收並儲存在了海水中。海水的蒸發量很大，海面上就會形成高濕高溫的氣團。在太陽和海洋的共同作用下，這些氣團加速旋轉上升形成了熱帶風暴。產生於菲律賓以東的太平洋上的熱帶風暴達到一定強度後，會向中國和日本方向運動，我們稱之為颱風。在大西洋加勒比海生成的熱帶風暴通常會襲擊美洲大陸，我們把它叫做颶風。

颱風和颶風的威力極大，一旦登陸就會帶來狂風暴雨，甚至會造成災害。但是它們也□非一無是處。亞洲、非洲、美洲大陸北緯三十度一帶是空氣下沉地帶，夏季受高氣壓控制而乾旱少雨，容易形成沙漠。颱風和颶風帶來的充沛雨水，有利於植物的生長和水庫蓄水，使一些地方避免了沙漠化。

在地球上，大氣每時每刻都在受海洋影響，其中以赤道海域的影響最大。在赤道海域，受到太陽直射的海水蘊藏著巨大的熱量。這些熱量被釋放到了大氣中，受熱的空氣流上升後，又向地球的兩極運動。於是，在大氣系統的影響下，北半球形成了順時針流動的大洋環流，南半球形成了逆時針流動的大洋環流。在大洋環流的影響下，又形成了一些分支海流。大量的熱量隨著洋流被沿途輸送到各地的大氣中，就形成了不同的氣候和各種天氣。而且由於種種原因，海洋中寒暖流流向各不相同。因此，複雜的海洋環境造就了千差萬別的氣候。

海上風暴

海洋製造淡水的奧祕

水是生命之源，所有生物都需要水才能生存。自然界中有兩種水：鹹水和淡水。海洋中的水為鹹水，陸地上的水大都為淡水，生命生存需要的是淡水。其實，海洋也能製造淡水。

陸地上有許多河流、湖泊與池塘，儲存著大量的淡水。在地表以下的岩石孔隙、裂隙和溶洞中，也有儲存量頗為豐富的淡水，即地下水。

自古以來，百川歸海，陸地上的淡水總是不停地流向海洋。如果海底沒有與陸地相通，那海平面應該不斷地上升，海水也應該會變淡。然而事實並非如此。

古時候的人們認為海水不斷地滲透到海洋的地下。在海水從海底滲透到地殼這一過程中，鹽分被過濾了，鹹水變成淡水，成了江河湖泊的源頭。那麼事實到底是不是這樣呢？

隨著科學技術的發展，人們經過研究後發現，海水與陸地上的淡水並非是在地下交換的，而是在空氣中進行交換的。在廣闊的海洋上，海水不斷以水蒸氣的形式蒸發到空中，但是海水中的鹽分並沒有隨之一起蒸發。水蒸氣藉著太陽的能量和風力等因素升至高空，其中一部分飄到陸地的上空變成了雲。雲不斷地膨脹，變成雨或雪降落到了地面。有些落到了河流和湖泊中，有些就從地表滲透到地下變成了地下水。因此，我們會發現，在雨雪少的季節，有些從岩石間湧出的清泉就會斷流。

整個地球就是這樣時刻不停地進行著水循環。這一循環過程其實與人類製造蒸餾水的過程很相似。我們製造蒸餾水的時候，通常是利用蒸餾設備使普通的水沸騰，然後把水蒸氣與水中的雜質分離開，再使水蒸氣冷卻凝結，以得到純淨的淡水。

人類製造蒸餾水一般需要藉助各種工具，但是自然界中的水循環卻沒有藉助任何設備。海洋在陽光的照射下自然加熱，使得海水中的水分不斷地蒸發成水蒸氣。水蒸氣若想重新變為液體，必須進行冷卻。大自然是如何巧妙地完成這一過程、令水蒸氣在上升和飄移的過程中自然冷卻的呢？

其實，自然冷卻的原理並不複雜。高空中空氣稀薄，氣壓較低。水蒸氣團在上升的過程中會不斷膨脹，而體積一旦變大，溫度就會下降。水蒸氣團每上升一百公尺，溫度就下降一℃。

當水蒸氣團的溫度降低到一定程度就會冷凝，從氣體轉變為液體或固體。即使地面溫度高達三十℃，在三千公尺的高空，溫度也只有零℃，所以水蒸氣就會轉變為雪花。但雪花在下落的過程中離地面越近，空氣的溫度就越高，於是就化為雨水。

地球上下雨、下雪這些自然現象，對人們來說已經是司空見慣的事，實際上這是地球上所特有的現象。正是因為這些自然現象的發生，人類才能夠擁有如此豐富的淡水資源。

海上為什麼會產生颱風

颱風（或颶風）是產生於熱帶海洋上的一種強烈的熱帶氣旋。在氣象學上，熱帶氣旋中心持續風速達到十二級（即每秒三十二點七公尺或以上）就稱為颱風。不同地方的人們對颱風有不同的稱呼。颱風在歐洲、北美一帶被稱為「颶風」，在東亞、東南亞一帶被稱為「颱風」，在孟加拉灣地區被稱為「氣旋性風暴」，在南半球則被稱為「氣旋」。

那麼颱風究竟是如何形成的呢？

在位於赤道附近的熱帶海洋上，海面受太陽直射而使海水溫度升高。海水蒸發產生了許多水蒸氣，水蒸氣受熱後會上升。在上升過程中，水蒸氣發生凝結，釋放出了大量的熱量，這些熱量促使空氣的對流運動進一步發展，令海洋表面的氣壓降低。隨後周圍的暖濕空氣立即流入氣壓較低的地方補充，然後再上升，形成循環反應。在條件合適的廣闊海面上，這種循環影響的範圍將不斷擴大，可達數百至上千公里。

同時，地球的自轉導致氣流和地球表面產生了摩擦。由於越接近赤道摩擦力越強，因此氣流的旋轉在這種摩擦力的作用下愈來愈猛烈，最後就形成了颱風。颱風在北半球地區呈逆時針方向旋轉，在南半球則為順時針方向旋轉。

一個發展成熟的颱風按其結構和帶來的天氣，可分為颱風眼、渦旋風雨區、外圍大風區三部分，從中心向外呈同心圓狀排列。

颱風眼位於颱風中心，直徑五至十公里。颱風眼範圍內盛行下沉氣流，因此天氣晴朗，風平浪靜。颱風眼外側為渦旋風雨區，這裡盛行強烈的上升氣流，會形成厚厚的雲層，帶來狂風暴雨。颱風眼外側風力常常在十二級以上，是颱風中天氣最惡劣的區域。再向外就是外圍大風區，這個區域的風力通常在六級以上。

颱風移動的方向和速度取決於作用於颱風的動力。颱風的動力分內力和外力兩種。內力就是颱風範圍內因南北緯度差距所造成的地轉偏向力差異而引起的向北和向西的合力。內力愈大，颱風範圍就愈大，風速愈強。外力則是外界環境對颱風渦旋的作用力，即北半球副熱帶高壓南側基本氣流東風帶的引導力。內力主要在颱風初生成時發揮作用，外力則是操縱颱風移動的主導作用力，因而颱風基本上自東向西移動。

颱風常常會帶來狂風暴雨。颱風在海面上運動時，會掀起滔天巨浪，嚴重威脅航行船隻的安全。颱風登陸後，可摧毀莊稼、建築設施等，給人類造成巨大的生命財產損失。例如，二〇〇九年的「莫拉克」颱風就給臺灣和中國福建、浙江、江西等地帶來了重大災難。在這場災難中，遇難者在六百人以上，八千餘人被困；臺灣損失數百億新臺幣，大陸損失近百億人民幣。

颱風雖然具有極大的破壞力，但是也有一定的好處。颱風給人類送來了豐富的淡水資源，大大緩解了一些地區缺水的狀況。一次直徑不算太大的颱風登陸時，大約可帶來三十億噸降水。另外，颱風還使世界各地冷熱保持相對均衡。若不是颱風驅散了赤道地區接受的太陽輻射的熱量，熱帶會更熱，寒帶會更冷，溫帶也會從地球上消失。

厄爾尼諾

「厄爾尼諾」一詞來源於西班牙語，原意為「聖嬰」。十九世紀初，在南美洲的厄瓜多爾、祕魯等西班牙語系國家，漁民們發現，每隔幾年，從十月至第二年的三月便會出現一股沿海岸南移的暖流，使表層海水溫度明顯升高。南美洲的太平洋東岸本來盛行的是祕魯寒流，隨著寒流移動的魚群使祕魯漁場成為世界四大漁場之一。但是，這股沿海岸南移的暖流一出現，性喜冷水的魚類就會大量死亡，使漁民們遭受巨大的損失。由於這種現象最嚴重時往往在聖誕節前後，於是遭受天災而又無可奈何的漁民將其稱為「上帝之子」——「聖嬰」。

後來，人們用「厄爾尼諾」表示在祕魯和厄瓜多爾附近幾千公里的東太平洋海面的異常增暖現象。當這種現象發生時，大範圍的海水溫度可比常年高出三至六℃。太平洋廣大水域的水溫升高，影響了傳統的赤道洋流和東南信風，導致了全球性的氣候反常。「厄爾尼諾」使原屬冷水域的太平洋東部水域變成了暖水域，結果引起海嘯和暴風驟雨。從而造成一些地區出現乾旱，另一些地區又降雨過多的異常氣候。

二十世紀六〇年代以後，隨著觀測手段的進步，人們發現厄爾尼諾現象不僅出現在南美等國沿海地區，而且遍及東太平洋沿赤道兩側的全部海域以及環太平洋國家，甚至連印度洋沿岸在某些年份也會受到厄爾尼諾帶來的影響，發生一系列自然災害。總的來看，厄爾尼諾使南半球氣候更加乾燥火熱，使北半球氣候更加寒冷潮濕。進入九〇年代以後，隨著全球變暖，厄爾尼諾現象出現得越來越頻繁。

厄爾尼諾現象形成的原因是什麼呢？科學界對此有多種觀點，比較普遍的看法是：在正常狀況下，北半球赤道附近吹東北信風，南半球赤道附近吹東南信風。信風帶動海水自東向西流動，分別形成北赤道洋流和南赤道暖流。從赤道東太平洋流出的海水靠從下層上升的湧流補充，從而使這一地區下層冷水上翻，水溫低於四周，東西部海域就會形成溫差。

但是，一旦赤道東太平洋地區的冷水上翻減少或停止，海水溫度就升高，形成大範圍的海水異常增暖。突然增強的這股暖流沿著厄瓜多爾海岸南侵，使海水溫度劇升。冷水魚群因此而大量死亡，致使海鳥因找不到食物而紛紛離去。

厄爾尼諾形成前會有一些前兆，包括：印度洋、印尼與澳洲氣壓上升；大西洋和太平洋中央、東面的海面氣壓下降；南太平洋的信風減弱或往東面吹；祕魯附近的暖空氣上升，使沙漠地區下雨；暖空氣由太平洋西岸擴散至印度洋與太平洋東面，同時它也會使東部較乾燥和乾旱的地方降雨。在一定程度上，這些前兆能夠幫助人們降低厄爾尼諾帶來的損失。

拉　尼　娜

被稱為「上帝之子」的厄爾尼諾還有一個「妹妹」——拉尼娜。在西班牙語中，厄爾尼諾意為「聖嬰」，拉尼娜則意為「聖女嬰」。我們知道，厄爾尼諾是一種海洋氣候現象，而拉尼娜則正好是一種與之相反的氣候現象。拉尼娜是指赤道太平洋東部和中部海面持續異常偏冷的現象，也稱為反厄爾尼諾現象。拉尼娜現象通常會隨著厄爾尼諾現象而來，出現厄爾尼諾現象的第二年常常會出現拉尼娜現象，所以科學家們把它們稱為「一對孿生兄妹」。

拉尼娜究竟是怎樣形成的呢？厄爾尼諾與赤道中、東太平洋海水的增暖、信風的減弱相聯繫，而拉尼娜卻與赤道中、東太平洋海水變冷、信風的增強相關係。因此，拉尼娜是熱帶海洋和大氣共同作用的產物。

信風是指在赤道兩邊的低層大氣中從熱帶地區刮向赤道地區的風。北半球吹東北信風，南半球吹東南信風，這種風的方向很少改變。海洋表層海水的運動主要受其表面的信風影響。赤道偏東信風會推動赤道地區的洋流從東太平洋流向西太平洋。赤道東太平洋表層較暖的海水，被信風送到赤道西太平洋地區後，海面以下的冷水補充上來，造成赤道東太平洋海水溫度比西太平洋明顯偏低。當偏東信風加強時，赤道東太平洋深層海水上翻現象會更加劇烈，導致海水表面溫度異常偏低。溫度降低使得氣流在赤道太平洋東部下沉，而氣流在西部的上升運動更為加劇，又導致信風加強，從而進一步加劇赤道東太平洋的海水降溫，引發拉尼娜現象。

"拉尼娜" 造成氣候變冷

拉尼娜與厄爾尼諾特性相反，隨著厄爾尼諾的消失，拉尼娜的到來，全球許多地區的天氣與氣候災害也將發生轉變。但是，拉尼娜也可能給全球許多地區帶來災害。發生拉尼娜的徵兆是颶風、暴雨和嚴寒。它對氣候的影響與厄爾尼諾大致相反，但其強度和影響程度不如厄爾尼諾。

拉尼娜的影響包括使美國西南部和南美洲西岸氣候變得異常乾燥，並使澳洲、印尼、馬來西亞和菲律賓等地區有異常多的降雨，還使非洲西岸及東南岸、日本和朝鮮半島異常寒冷，在西北太平洋地區，熱帶氣旋影響的區域會比正常情況下偏南和偏西。

從一九五〇年以來的記錄來看，厄爾尼諾發生頻率要高於拉尼娜。特別是在九〇年代，一九九一年到一九九五年曾連續發生了三次厄爾尼諾，但中間沒有發生拉尼娜。因此，有科學家認為，由於全球變暖，拉尼娜現象有減弱的趨勢。

赤潮之謎

大海通常是藍色的，你見過紅色的海潮嗎？紅色海潮來臨之時，海面如同鋪上了一層紅氈子，看上去似乎很美麗，但對海洋中的生物來說，卻是一場滅頂之災。這種紅色的海潮就是赤潮，它有「紅色幽靈」之稱。

當海水中的有機物和營養鹽過多時，會引起海藻家族中的赤潮藻爆發性地增殖而形成赤潮。

有機物（碳水化合物、蛋白質、油脂等）和營養鹽（氮、磷、鉀等）是海洋植物所必需的養料。但是如果海水中這些物質過多的話，會引起某些植物爆發性地增殖，從而使海水顏色變得不正常。這種變色並非全是變成紅色，赤潮只是人們對這一現象的泛稱。赤潮呈現什麼顏色，取決於佔優勢的浮游植物的種類。例如，夜光藻佔優勢的赤潮為紅色，綠藻佔優勢就呈綠色，硅藻佔優勢則呈褐色。赤潮一般發生在內海、河口、港灣，或是有上水流的水域，特別是暖流內灣水域。

赤潮是一種複雜的生態異常現象，其成因尚沒有定論。科學家們認為，赤潮是近岸海水受到有機物污染所致。在正常的情況下，海洋中的營養鹽含量較低，這就限制了浮游植物的生長。但是，當含有大量營養物質的生活污水、工業廢水（主要是食品、造紙和印染工業）和農業廢水流入海洋後，再加上海區其他理化因素有利於生物的生長和繁殖時，赤潮生物便會急劇繁殖起來，形成赤潮。

既然大量的有機物進入海洋有利於植物的生長，為什麼又會造成大量生物死亡呢？這是因為密集的赤潮生物或其孢外物質會堵塞住魚類的鰓，使其窒息死亡。同時，赤潮生物屍體的分解需要消耗大量的溶解氧，這樣會引起海水嚴重缺氧，甚至出現硫化物，從而危及海洋生物的生存。如果含有毒素的赤潮生物及其休眠孢子或當赤潮生物死亡時，所釋放出來的毒素被海洋動物攝食、吸收後，就會造成海洋動物中毒死亡。如果人食用了這種含有毒素的海產生物，也會中毒甚至死亡。

大量的有機物進入海洋並沉入海底，還增加了將該海域變成「死海」的危險性。例如波羅的海的某些海區底層已經沒有生命存在了。這是由於波羅的海是一個近乎封閉的內海，海水與大洋水的交換量極少，相反受陸地水的影響很大。含有大量有機物的廢水進入波羅的海後，除了海水中的生物活動需要消耗大量的氧氣以外，這些有機物在分解時也要消耗掉大量的氧氣。加上水體交換不良，氧氣供應不足，使水體出現了缺氧現象。有些海域底部的海水中溶解氧幾乎為零，並出現了硫化氫。這樣，此海域就不會有生命存在了，也就變成了「死海」或「水沙漠」。

海　　嘯

海嘯是一種威力巨大的自然災害，是人類的噩夢。二〇〇四年十二月二十六日，印度洋發生了一次大海嘯，造成近三十萬人死亡和難以計算的財產損失，令數百萬人失去了美好的家園。許多人至今都無法忘卻那場災難。

為什麼會發生海嘯災害呢？科學家們透過研究發現，海嘯災害發生的原因有很多。根據成因分為以下幾種：

第一種是由於海底地震、火山爆發、大滑坡、大塌陷等地質構造變化而引起的巨浪所造成的海嘯。

印尼海嘯就是由於印尼海底地震造成的。海底地震發生時，會造成海底地層斷裂。部分地層就會猛然上升或者下沉，從而使海底到海面的整個水層發生劇烈「抖動」。這種「抖動」與平常所見到的海浪大不一樣。海浪一般只在海面附近起伏，涉及的深度不大，波動的振幅隨著水位變深而衰減得很快。然而，地震引起的海水

「抖動」則是從海底到海面整個水體的波動，其中所含的能量驚人。由於海水的壓縮性很小，水體只能以同等規模的波動形式把能量傳遞出去。當海嘯波進入大陸架淺海區時，因海水深度急劇變淺，能量集中，波高會驟然增大，這時可能出現波高達十至二十公尺以上的海嘯。

在海濱區域，海嘯波使海水陡漲，猶如水牆，並伴著隆隆巨響，瞬時侵入農田、村莊。隨後海水又迅速退去，或先退後漲。這樣反覆多次，給人們的生命和財產帶來巨大損失。

第二種是由海上的颶風、颱風等極端氣候引發的海嘯。人們稱這種海嘯為「風暴海嘯」，它同樣能造成人員和財產的損失。

中國廣東沿海地區經常發生風暴海嘯，因為那裡有不少漏斗形的海灣地形。汕頭的牛田洋與珠江口就是典型的海灣地形，這種地形較容易加速大氣和洋流旋渦的形成，導致風暴海嘯的產生。

第三種是由濱海地區的大規模山崩、懸崖滑落引發的海嘯災害。一七〇二年，日本有明海域附近的山崩引發海嘯，最大波高達五十公尺以上，造成一萬五千人死亡。

第四種則是因為水下核爆炸而引發的海嘯。水下核爆炸會在瞬間釋放出巨大的能量，使海水劇烈振盪，從而引發海嘯。

核爆炸釋放出多少能量會直接影響到這種海嘯的規模大小。核爆炸釋放的能量越大，引發的海嘯也就越大。因此核武器也是引發海嘯的一個很大的隱患。但是核爆炸引起的海嘯往往是局部的，一般來說其影響範圍也是局部的。

第五種則是天體事件引發的海嘯，這種海嘯的規模是最大的。如果小行星和彗星撞擊海洋，會引發規模比印尼海嘯大幾十萬倍、幾千萬倍的海嘯。如果這種海嘯真的發生了，會把沿海的城市一掃而光，不過這類海嘯發生的機率極低。據科學家統計，平均一千萬年才可能發生一次。

雖然海嘯是一種非常可怕的自然災害，但是由海底地震引發的海嘯是可以預報的。科學技術還在不斷地進步，相信人類對海嘯的預測會越來越有把握。

不好過的「好望角」

位於南非西南端的好望角正處於大西洋和印度洋的交匯處，是世界上最危險的航海地段。

「好望角」的意思是「美好希望的海角」。千萬不要被它的名字所迷惑，以為這裡風平浪靜、令人充滿美好的希望。實際上，這個岬角常年不斷地刮著強勁的西風，除了會發生風暴災害之外，還常常有「殺人浪」出現。這種「殺人浪」猶如懸崖峭壁，浪高十五至二十公尺，在冬季頻繁出現。好望角有時候還會有極地風引起的旋轉浪。當這兩種海浪疊加在一起時，海面環境就更加險惡，而且這裡還有很強的沿岸流。當海浪與沿岸流相遇時，整個海面如同翻滾的沸水，航行到這裡的船舶往往難逃一劫。因此，這裡就成了世界上以危險著稱的航海地段。

好望角原本有一個名副其實的名稱——「風暴角」。一四八七年八月，葡萄牙著名的航海家迪亞士奉葡萄牙國王若奧二世之命，率兩艘輕快的帆船和一艘運輸船自里斯本出發，踏上了遠征的航路。他的使命是繞過非洲大陸最南端探索通往東印度的航路。當船隊由大西洋轉向印度洋時，遇到了洶湧的海浪襲擊，整個船隊幾乎全軍覆沒。失魂落魄的迪亞士將其登陸的岬角命名為「風暴角」，讓人們永遠記住這個有著狂風巨浪的地方。後來，這個船隊返航回國後，國王對這個令人沮喪的名字極為不滿。為了儘快打通通向東方的航線並鼓舞士氣，國王下令將「風暴角」改名為「好望角」，意思是闖過這裡前往東方就大有希望了。

好望角為何終年都有狂風巨浪呢？其實這與好望角所處的地理位置有很大關係。好望角位於南回歸線附近，這裡終年西風勁吹，風暴頻繁。即使是在夏季，這裡也是西風咆哮，冬季就更是寒風凜冽。這裡的海水也被常年不斷的西風馴服成了著名的「西風漂流」，環繞著地球由西向東奔馳。

有一位經常在這條航線上航行的海員，曾對好望角進行過驚心動魄的描述：「烏雲密佈，連綿不斷，很少見到藍天和星月。終日西風勁吹，一個個渦旋狀雲系向東飛馳。海面上奔騰咆哮的巨浪不時與船舷碰撞，發出的陣陣吼聲震撼著每個海員的心靈。」

在好望角為什麼會形成如此奇特的景象呢？水文氣象學家透過研究探索，終於揭開了其中的奧祕。

原來，好望角處在溫差較大的中緯度地區，冷暖氣流在這裡不斷交匯，導致風暴頻發。同時，地球的自轉對氣流的方向產生了重要的影響，使得好望角地區形成了終年不斷的強烈西風。在這裡，十一級的大風可謂家常便飯，這樣的氣象條件是形成好望角巨浪的外部原因。同時，南半球是一個陸地面積小而水域遼闊的半球，自古就有「水半球」之稱；好望角接近南緯四十度到南極圈形成圍繞地球一周的大水圈，廣闊的海區無疑是好望角巨浪生成的「搖籃」。此外，在遼闊的海域，海流突然遇到好望角陸地的側向阻擋作用，也容易形成巨浪。因此，西方國家常把南半球盛行西風的地帶稱為「咆哮西風帶」，而把好望角比做「鬼門關」。

風暴之灣——孟加拉灣

位於印度洋北部的孟加拉灣是世界上著名的風暴之灣。這裡常年風暴不斷，龍捲風和暴風雨幾乎是家常便飯。因此，孟加拉灣成為世界上熱帶風暴災害最為嚴重的地方。

孟加拉灣西臨印度半島，東臨中南半島，北臨緬甸和孟加拉國，南部在斯里蘭卡至蘇門答臘島一線與印度洋本體相交，經馬六甲海峽與暹羅灣（泰國灣）和南中國海相連。它的南部邊界線長約為一千六百零九公

孟加拉灣的風暴

里，寬約一千六百公里，總面積大約二百一十七萬平方公里；平均水深為二千五百八十六公尺，最大深度為五千二百五十八公尺，總容積為五百六十一萬六千立方公里。

孟加拉灣為什麼會成為著名的風暴之灣呢？這是由於它特殊的地形和氣候特徵造成的。

孟加拉灣的海底地形大致呈「U」字形，深度達四千五百公尺。它的北部有長達五千公里由大陸架沉積物沖積而成的恆河三角洲。海脊的頂峰處水深約為二千一百三十四公尺，其北端覆蓋著恆河三角洲的沉積物。孟加拉灣海域的表層環流受到季風的強烈影響。在春季和夏季，潮濕的西南風引起順時針方向的環流；秋季和冬季，受東北風的作用，環流轉變為逆時針方向。加上孟加拉灣的地形效應，導致各種作用力在此聚焦。因此，孟加拉灣就成了熱帶風暴的「搖籃」。

每年的四到十月是孟加拉灣風暴肆虐的時節。猛烈的風暴常常伴著海潮呼嘯而來，掀起滔天巨浪，向恆河一布拉馬普特拉河的河口衝去。風暴會帶來狂風暴雨，引發洪水，給人們造成巨大的災難。

一九七〇年十一月十二日，孟加拉灣形成的一次特大風暴襲擊了孟加拉國，致使三十萬人被奪去生命，一百多萬人無家可歸。

孟加拉灣

孟加拉灣是太平洋和印度洋之間的重要通道，因此沿岸各地貿易發達。孟加拉灣的主要港口有：印度的加爾各答、金奈、本地治里，孟加拉國的吉大港，緬甸的仰光、毛淡棉，泰國的普吉，馬來西亞的檳榔嶼，印度尼西亞的班達亞齊，斯里蘭卡的賈夫納等。

海浪是怎樣形成的

海浪是發生在海洋中的一種波動現象。有人說「無風不起浪」，也有人說「無風三尺浪」。這兩種說法看似很矛盾，實際上都沒有錯。海面上有風能產生海浪，而無風也能形成海浪。

狹義上的海浪主要是指海洋中由風產生的波浪，包括風浪、湧浪和近岸波。有時候，無風的海面上也常常出現湧浪和近岸波，這大概就是人們所說的「無風三尺浪」，但實際上它們也是由別處的風引起的海浪傳播過來而形成的。風浪傳播到風區以外的海域中所表現的波浪就是湧浪。風浪或湧浪傳播到海岸附近，受地形的作用改變波動性質的海浪就是近岸波。

風浪的大小與很多因素都有關。如果海面寬廣、風速大、風向穩定、風吹時間長，海浪必定會很強。例如，南北半球西風帶的海面上，常常浪濤滾滾；赤道無風帶和南北半球副熱帶無風帶海域，雖然水面開闊，但因風力微弱，風向不定，海浪一般都很小。

廣義上的海浪還包括在天體引力、海底地震、火山爆發、塌陷滑坡、大氣壓力變化和海水密度分佈不均等外力和內力作用下形成的海嘯、風暴潮和海洋內波等。這些才是真正意義上的「無風浪」，而且這些浪遠遠不止「三尺」。

從實質上看，海浪是海面起伏形狀的傳播，是海水離開平衡位置作周期性振動、並向一定方向傳播而形成的一種波動。海洋波動是海水運動的重要形式之一。從海面到海洋內部，處處都存在著波動。

在海浪的傳播中，海水的振動能形成動能，海浪起伏能產生勢能。在全球海洋中，僅風浪和湧浪產生的動能和勢能的總和就相當於太陽輻射到地球外側能量的一半。海浪的能量沿著海浪傳播的方向滾滾向前。

因此，海浪實際上又是能量的波形傳播。海浪波動周期從零點幾秒到數小時以上，波高從幾公厘到幾十公尺，波長從幾公厘到數千公里。風浪、涌浪和近岸波的波高從幾公分到二十餘公尺，最大可達三十公尺以上。

衝浪運動

衝浪是以海浪為動力、利用自身的技巧和平衡能力搏擊海浪的一項運動。衝浪的海浪其高度要達到一公尺左右，最低不少於三十公分。夏威夷群島常年有適合於衝浪運動的海浪。尤其是冬天或春天，島上都有從北太平洋湧來的海浪，浪高達四公尺，可以使運動員滑行八百公尺以上。

海霧來自哪裡

每到春暖花開的時候，中國沿海地區常常會出現霧濛濛的天氣。這時候能見度很低，有時僅相距幾公尺，也模模糊糊的看不清楚對方，這就是海霧造成的。

海霧是一種由於海面低層大氣中水蒸氣凝結造成的天氣現象。海霧能夠反射各種波長的光，因此看上去是乳白色的。根據海霧形成的原因和特點，可以將它分為平流霧、混合霧、輻射霧、地形霧四大類。

平流霧是因空氣平流作用在海面上生成的霧，是最常見的一種海霧，中國沿海地區常出現的就是這種海霧。平流霧又分為平流冷卻霧和平流蒸發霧。

平流冷卻霧又稱為暖平流霧，是因為暖氣流受海面冷卻，其中的水汽凝結成了霧。這種霧比較濃，霧區範圍大，持續時間長，能見度小，春季多見於北太平洋西部的千島群島和北大西洋西部的紐芬蘭附近的海域。平流蒸發霧則是由於海水蒸發使空氣中的水汽達到飽和狀態而形成的霧，又稱冷平流霧或冰洋煙霧。這種霧通常是由於冷空氣流到暖海面上，海面上大量的水蒸氣遇冷而產生的。同時由於低層空氣下暖上冷，空氣層不穩定，所以這種海霧範圍雖大，霧層卻不厚，霧也不濃。從兩極區域流出的冷空氣到達其鄰近暖海面上或巨大冰山附近的水域上時，均可生成平流蒸發霧。

混合霧是由於海上風暴產生空中降水的水滴蒸發，使空氣中的水汽接近或達到飽和狀態而形成的。混合霧有冷季混合霧和暖季混合霧之分。

輻射霧有好幾種。第一種叫做浮膜輻射霧。漂浮在港灣或岸濱海面上的油污或懸浮物容易結成薄膜，晴天黎明前後，海面上的水蒸氣因受到薄膜低溫的輻射而冷卻，就會在浮膜上形成霧。還有一種鹽層輻射霧，是由於風浪激起的浪花飛沫經蒸發後留下鹽粒，憑藉湍流作用在低空構成了含鹽的氣層，夜間水蒸氣因輻射冷卻，在鹽層上面生成了霧。第三種是高緯度地區的海面覆冰或巨大冰山面上，因輻射冷卻而生成的冰面輻射霧。

地形霧分為島嶼霧與岸濱霧。島嶼霧是空氣在「爬」越島嶼過程中冷卻而成的霧。岸濱霧則產生於海岸附近，夜間隨陸風漂移蔓延於海上；白天藉海風推動，可漂入海岸陸區。

另外，在空氣層變化的影響下，海霧可以升高變成雲，而雲也可以降低變成海霧。中國東海岸和美國西海岸都有這種現象。

海霧出現後，海面上能見度會顯著降低，對於人類的海上航行和沿岸活動有直接影響。尤其對於在海面上航行的人來說，海霧是一種危險天氣。它能使客船、商船、漁船和艦艇等偏航、觸礁或擱淺，所以遇到海霧天氣，人們就難以正常出航了。

現在透過對海霧的觀測和調查，人們逐漸掌握了它的特性及其分佈變化的規律。運用氣象學的知識和數理統計方法，就可以進行海霧的預報。此外，科學家已經提出了一些動力學模式，進行海霧的數值預報；透過模擬實驗，就能研究海霧的生消過程和作用機制，從而減少海霧對人類的不良影響。

海洋中的冰

由海水凍結而成的鹹水冰稱為「海冰」。其實廣義的海冰還包括進入海洋中的大陸冰川（冰山和冰島）、河冰及湖冰。

我們都知道，純淨的淡水在溫度達到零℃以下就會結冰，而溶解著很多鹽類的海水又是如何凝結成冰的呢？海水的平均鹽度一般為百分之三點五。海水中的鹽分會阻礙水分子從液態變為固態，所以零℃時海水還不會結冰。理論上海水需要更低的溫度，一般到零下二℃時就會結冰。可是實際上，當海水達到這個溫度時卻還不能結冰。這是什麼緣故呢？

原來，由於熱脹冷縮的原理，當外界溫度降低時，海洋表面的海水體積會收縮，它的密度就變大了。密度大的海水自然要下沉，而下面密度小一點的海水，就是說比較溫暖的海水就會上升，升上來的海水又需要更低的氣溫使它冷卻。這樣不斷上下反覆著，對流的範圍從幾百公尺到幾公里不等。當氣溫降低到使相當厚的海水能凝結在一起時，海面上才會結冰。

溶解在海水中的絕大部分鹽在海水結冰的過程中被排斥在外，少量沒有來得及跑掉的鹽分就被包圍在冰塊裡，形成了鹽泡。那些被排除在外的鹽分自然就溶解到鄰近的海水裡去了。這些海水的濃度增加後，就需要更低的溫度才能結成冰。

因此，海水的溫度、密度及海水的流動，都是影響海水能否結冰的重要因素。另外，海面上的風、波浪、潮流、海流等諸多因素與海水結冰也有著密切的聯繫。由此可見，海水結冰真不是一件簡單的事。

海冰的抗壓強度主要取決於海冰的鹽度、溫度和冰齡。通常新結成的冰比老冰的抗壓強度大，低鹽度的海冰比高鹽度的海冰抗壓強度大。海水結成的冰中間有很多鹽泡，因此不如淡水冰堅硬。一般情況下，海冰的堅固程度約為淡水冰

海洋中的冰

的百分之七十五，人在五公分厚的河冰上面可以安全行走，而海冰要達到七公分厚才能使人在上面安全行走。當然，冰的溫度愈低，抗壓強度也愈大。一九六九年渤海特大冰封時期，為解救船隻，空軍曾在六十公分厚的堆積冰層上投放了三十公斤的炸藥包，結果還沒有炸破冰層。

北冰洋的白令海、鄂霍次克海和日本海在冬季都有海冰生成；大西洋與北冰洋暢通，海冰更盛；在格陵蘭南部以及戴維斯海峽和紐芬蘭的東南部也都有海冰的蹤跡。其中格陵蘭和紐芬蘭附近是北半球冰山最活躍的海區。南極洲是世界上最大的天然冰庫，全球百分之九十以上的冰雪儲藏在這裡。南大洋上的海冰不同於格陵蘭冰原上的冰，也不同於南極大陸的冰蓋，只有環繞南極的邊緣海和威得爾海存在著南大洋多年性海冰。在冬季（四至十一月），一二公尺厚的大塊浮冰不規則地向北擴展，把南緯四十度以南的南大洋覆蓋了三分之一。南極洲附近的冰山是南極大陸周圍的冰川斷裂入海而成的。出現在南半球水域裡的冰山要比北半球出現的冰山大得多，其長度和寬度往往都有幾百公里，高出海面幾百公尺，而隱藏在水下的體積更大。

海面上漂浮著體積較大的冰塊大部分來自北極或南極，在漂流過程中一路碰撞，在溫暖的海水中逐漸消融。這些從冰雪世界裡來的「客人」會給航行船隻帶來相當大的危險。在人類發明雷達以前，海上航行的船隻遇上這些漂浮的冰塊，躲避不及的話就會造成重大的災難。一九一二年，英國的「鐵達尼號」郵船撞上冰山沉沒，造成一千多人喪生，是令人至今都難以忘記的慘劇。著名的電影《鐵達尼號》就是根據那次事件改編而成。在科技發達的今天，我們已經可以利用先進的航海儀器及早發現海上漂浮的冰塊，遠遠地避開這些可怕的冰雪。

漂流在海洋裡的海冰在地球氣候的變化中還扮演著重要的角色。若高緯度地區海洋裡海冰減少，低緯度的暖流便會北上，使得原來的雨區變得乾旱起來。海冰可以使海水的蒸發大大減少，還能促使海水上下對流，使海水保溫，對海洋生物的繁殖十分有利。另外，它把潮汐阻擋在外，使潮高降低、潮流減慢，又把波浪壓低，拖住了海流。因此，海冰數量的變化直接影響著地球的氣候。

海洋的污染

海洋面積遼闊，儲水量巨大，因而長期以來都是地球上最穩定的生態系統。在近代工業革命以前，海洋接納了由陸地流入的各種物質，卻沒有發生顯著的變化。然而，隨著世界工業的發展，海洋污染已經成為一個日益嚴重的問題。有些海域的環境發生了很大變化，而且這種變化有繼續擴展的趨勢。有害物質進入海洋而造成的污染會破壞海洋品質，危害海洋生物，從而威脅人類的健康，影響環境質量，並且妨礙人類在海洋中的各種活動。

海洋污染主要發生在靠近大陸的海灣。在這些地方，由於人口眾多、工業區密集，大量的廢水和固體廢物被排放到海水裡。加上海岸曲折造成水流交換不暢，使得海水的溫度、pH值、含鹽量、透明度、生物種類和數量等發生了改變，對海洋的生態平衡構成危害。

目前，海洋污染最嚴重為石油污染、赤潮、有毒物質累積、塑料污染和核污染等幾個方面。污染最嚴重的海域有波羅的海、地中海、東京灣、紐約灣、墨西哥灣等。就國家來說，沿海污染比較嚴重的有日本、美國、西歐諸國等。中國的渤海灣、黃海、東海和南海的污染狀況也相當嚴重。

由於海洋的特殊性，海洋污染與大氣、陸地污染有很多不同。

首先，海洋污染的源頭非常之廣，不僅人類的海洋活動會污染海洋，而且人類在陸地和其他活動方面所產生的污染物也會透過江河徑流、大氣擴散和雨雪等降水形式進入海洋。

海洋污染擴散的範圍也很廣。全球海洋都相互連通，污染物進入一個海域後就會擴散到周邊。有些較嚴重的海洋污染會產生一連串的後期效應，甚至有可能波及全球。

另外，海洋污染的持續性也很強 。海洋是地球上地勢最低的區域，不可能像大氣和江河那樣，透過一次暴雨或一個汛期就把污染物轉移或消除。污染物一旦進入海洋後，就很難被轉移出去。不能溶解和不易分解的物質在海洋中越積越多，就會透過生物的富集作用和食物鏈傳遞，對人類造成威脅。而且海洋污染有很長的積累過程，不易被及時發現。海洋污染一旦形成，就需要花費大量的時間和經濟代價進行治理。

在意識到海洋污染的嚴重危害性之後，有些發達國家對有害物質的排放制定了嚴格的規定，這些國家的沿海環境逐漸得到了改善。但是發展中國家的海洋污染仍然很嚴重。

其實，海洋具有一種自我淨化能力，因此工業廢料在一定範圍內是可以扔進大海的。但是海洋的自我淨化能力究竟有多強呢？投下的垃圾在什麼範圍之內不會對海洋的生物以及人類造成壞的影響？透過調查協商，國際上為此訂立了《倫敦公約》。其中劃定了不能扔進海洋或者需要特別許可的物質分類，以此來防止海洋污染。《倫敦公約》的內容也會根據科學研究的發展而經常修改。

海洋是人類賴以生存的自然環境中重要組成部分，人類必須在不破壞海洋環境的前提下合理地開發利用海洋資源。

如果海洋從地球上消失

我們知道，地球約百分之七十的表面積都被海洋佔據了。如果海洋從地球上消失了，會發生什麼事情呢？

那些海洋生物失去了它們賴以生存的海洋，環境，只能等待死亡。生活在陸地上的人們沒有了海洋，肯定不會立即死去。尤其是居住地遠離海洋的人們，在短時間內可能不會感受到太大的變化。但是，陸地受到的影響會慢慢地顯現出來。

首先，世界各地的降水量會銳減。河流會逐漸枯竭，水庫中的水也會逐漸減少直至見底。沒有了雨水的滋潤，樹木將會枯萎，草木無法生長，也沒有農作物能為人們提供糧食。最終，整個地球將會變成一片荒蕪的沙漠。這是因為海洋是地球上所有的水的來源。

在這種情況下，如果人類還能夠勉強在地球上生存下去，將會發現冬季和夏季的溫差會變得非常之大。

以一個受海洋影響較大的島國為例，如四面環海的日本，其國內氣候受海洋的影響很大。如果海洋從地球上消失，日本就會從海洋性氣候變成大陸性氣候。大陸性氣候的特點就是晝夜溫差很大，白天和夜晚大概會有三十℃的溫差。到時候人們白天需要冷氣，晚上需要暖氣。原本寒冷的冬天溫度會更低，大概會像西伯利亞一般寒冷；而炎熱的夏天溫度則會更高，五十℃左右的高溫天氣大概會變成家常便飯。

除此之外，陸地上的風也會發生重大的變化。我們還是以日本為例：日本屬於季風猖獗的國家，冬季為西北風，夏季為南風。季風是因陸地與海面溫度不同而形成的，海洋消失後，季風也會隨之消失。另外，在日本的上空一年四季都刮偏西風，而這種風的形成必須是高緯度處的氣溫低於低緯度處的氣溫。海洋一旦消失，高緯度地區夏天的氣溫也很高，甚至有可能高於赤道附近的溫度。那樣的話，有可能夏季沒有偏西風，而冬季的偏西風卻變強，甚至會變成暴風雨。

由此可以看出，如果海洋從地球上消失，地球就可能變成一個氣候惡劣的大荒漠，將不再適合人類和其他生物生存。

海洋性氣候的特點

海洋性氣候和大陸性氣候相比有以下特點：氣溫的年變化和日變化小，而且極值溫度出現的時間也比大陸性氣候地區遲。降水量的季節分配較均勻，降水日多、強度小。雲霧頻數多、濕度高。在溫度年變化方面，春季冷於秋季是海洋性氣候的一個明顯標誌。

探索海洋奇觀

神奇的海火與地震真的有關係嗎？

海底到底沉睡着多少寶藏？

海底的無底洞到底通向哪裡？

神出鬼沒的幽靈島讓人摸不着頭腦，

讓我們一一去探索吧！

神奇的海底磁性條帶

古地磁是指人類史前（地質年代）和史期的地磁場。現代地磁場的記錄不超過四百年，這在很大程度上限制了人們對地球基本磁場和長期變化規律的認識。但是，地殼各處的岩石含有或多或少的各種磁性礦物，它們在冷卻或沉積過程中被地磁場磁化，記錄下了岩石形成時期地磁場的方向和強度。其中有一部分磁性穩定的岩石，在漫長的地質時期，完整地保留了這種記錄，因此人類可以利用它們來研究地球的長期變化。

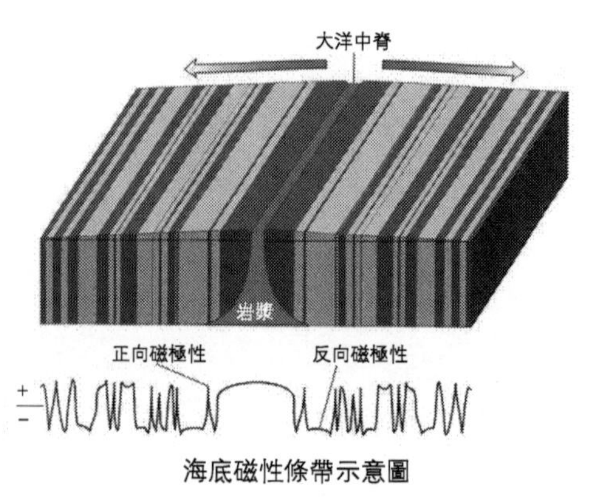

海底磁性條帶示意圖

第二次世界大戰結束後，科學家在大西洋洋中脊，使用高靈敏度的磁力探測儀進行了古地磁調查。後來，科學家又對太平洋進行了古地磁測量。兩次調查的結果顯示，在海洋底部存在著呈南北方向的等磁力線條帶。每條磁力線條帶長數百公里，寬度在數十公里至上百公里之間。

一九六三年，英國劍橋大學的一位年輕學者和他的老師提出了一個大膽的假說：如果「海底擴張」曾經發生過，那麼，海洋洋中脊上湧的熔岩凝固後，應當保留著當時地球磁場的磁化方向。就是說，在洋中脊兩側的海底應該有磁化情況相同的磁性條帶存在。當地球磁場發生反轉時，磁性條帶的極性也應該發生反轉。

這個假說很快就被證實了，同樣對稱的磁性條帶在太平洋、大西洋、印度洋都被找到了。

科學家還計算出，地球磁場在七千六百萬年中曾發生過一百七十一次反轉。研究結果顯示，地球磁場兩次反轉的最長周期約為三百萬年，最短周期約為五萬年，兩次反轉的平均周期為四十二萬至四十八萬年。

但是，對於地球磁場為什麼要來回反轉這個問題，還沒有確切的答案。儘管科學家們提出過種種假說，但其真正的原因還不清楚。地球磁場反轉的內在規律還有待科學家們去繼續探索。

海洋中的中尺度渦流

對於海洋洋流的發現與研究還是近代以來的事情。在古代，由於缺乏可以觀測海洋的精密儀器，人們只能透過表面及物理現象對洋流進行研究。

二十世紀初，埃克曼提出了「風生海流」的洋流理論。這一理論認為海洋的流動是風和地球自轉的共同結果，當時為人們所普遍接受。

一九五八年，英國海洋學家斯羅華設計了一套在海洋一定水層中自由漂浮的「中性浮子」系統，對大西洋百慕達海域的底層海流進行了測量。在以前的資料記錄中，百慕達海域內的海流是一支比較穩定而且流速比較緩慢的海流，海流的速度在每秒一公分左右。可是利用這套新系統測量的結果令斯羅華大吃一驚，這裡的海流速度比預想的快了十多倍。而且在短短的十多公里距離之內，海流竟然出現了反向流動。同時，海流在一個多月的時間裡，還顯現出了相當大的變化。

這一發現用傳統的「風生海流」理論是無法解釋的，在海洋科學界掀起了軒然大波。

為了進一步研究這種反常的現象，一九七九年，前蘇聯的海洋科學家在大西洋的一個海域進行了長達半年的觀測。 這次行動所獲得的海流資料也使研究人員大惑不解。他們原本以為這一海域內的海流平均流速不會很快，只有每秒幾公厘。然而，實測的海流流速達每秒十多公分，而且海流呈渦流狀。渦流的直徑約為一百公里，存在的時間有好幾個月。後來，美國科學家在海洋調查中得到了同樣的結果。但當時人們無法解釋這種現象。

後來，美國在一九七三年成功地發射了「天空實驗室」載人太空船。太空人們在這座「天空實驗室」中，拍攝到了大西洋西部熱帶海域內的一個大渦流。 這個大渦流的直徑為六十至八十公里。他們還發現，在這個大渦流所在的海域，溫度較低的海水從深度達公里以上深處不斷向上湧升，形成了較強的上升海流。由於上升的海流將海底的大量營養物質帶到了海洋表面，使得這片海域形成了一個絕好的天然漁場。

「天空實驗室」還在其他海洋中發現了類似的渦流。例如，在南美洲的西海岸、澳洲東部和新西蘭一帶海域、非洲東海岸、印度洋西北海域和南中國海海域等，都有這種渦流。這些渦流小的直徑僅幾十公里，大的直徑達數百公里。它們存在的時間有長有短，時間短的十幾天，長的達千年之久。

這些渦流與海洋中的環流相比只是局部現象，但與近海的小旋渦相比，就非常大了。因此，它們被稱為「中尺度渦流」。

海洋中尺度渦流的發現，是近二三十年來人們對大洋環境的突破性認識，改變了人們對海流形成機理的傳統看法。

百慕達魔鬼三角

在遼闊的大西洋上，有一片令人恐懼的海域，它就是「百慕達魔鬼三角」。在這裡航行的船隻或飛機常常神祕地失蹤，事後連一點船舶和飛機的殘骸碎片也找不到，更不要說查明失事原因了。最有經驗的海員或飛行員經過這裡時，都是戰戰兢兢、提心吊膽的，唯恐遭受厄運，不明不白地消失在這片詭異的海域中。

「百慕達魔鬼三角」這一名稱就是源於一樁神祕的失蹤事件。一九四五年十二月五日，美國十九飛行隊在訓練時突然失蹤，當時預定的飛行計劃是一個三角形。這個三角形北起百慕達，延伸到佛羅里達州南部的邁阿密，然後經過巴哈馬群島，穿過波多黎各，到西經四十度附近聖胡安，再返回百慕達。後來，人們就把這一三角地區稱為「百慕達三角區」或「百慕達魔鬼三角」，它同時還擁有另一個可怕的名稱——「死神的居住地」。

已有數以百計的船隻和飛機在「百慕達魔鬼三角」

無故失蹤。從一八八〇年到一九七六年間，約有一百五十八次神祕失蹤事件。突出的事例是裝載著錳礦的美國海軍輔助船「獨眼神號」在一九一八年三月失蹤。一九四五年，有五架美國轟炸機從佛羅里達州羅德岱堡空軍基地起飛，在飛行訓練途中用無線電報告他們遇險，然後電訊逐漸減弱消失，飛機失蹤。這些神祕的失蹤事件主要發生在大西洋中的一片叫「馬尾藻海」的地區。「馬尾藻海」是北緯二十到四十度、西經三十五至七十五度之間的寬廣水域。

百慕達群島

有人認為是超自然原因造成了這些失蹤事件。還有人認為是外星人或它們的飛碟在作怪。另外，也有人認為這些神祕事件其實是自然原因造成的，如地磁異常、洋底空洞。甚至還有人提出泡沫說、晴空湍流說、水橋說、黑洞說等。

英國地質學家、利茲大學的克雷奈爾教授提出了新的觀點。他認為，造成這些事件的元凶是海底產生的巨大沼氣泡。在百慕達海底地層下面，發現了一種由冰凍的水和沼氣混合而成的結晶體。當海底發生猛烈的地震活動時，被埋在地下的塊狀晶體被翻了出來。因為外界壓力減輕，這些晶體便會迅速氣化。大量的氣泡上升到水面，使海水密度降低，失去原來所具有的浮力。恰逢此時經過這裡的船隻就會像石頭一樣沉入海底。如果此時正好有飛機經過，當沼氣遇到灼熱的飛機發動機，飛機無疑會立即燃燒爆炸，瞬間便會蕩然無存。

還有些觀點認為，這些奇特的失蹤事件彼此間並沒有聯繫，「百慕達魔鬼三角」並不存在。百慕達三角區的祕密還有待科學家們去研究、驗證。相信隨著人類的發展、科技的進步，百慕達神祕的面紗終將被揭開。

神祕的日本龍三角

在太平洋中，也有一片神祕莫測的海域，它就是位於日本以南的龍三角海域。這片海域也被稱為「最接近死亡的魔鬼海域」和「幽深的藍色墓穴」。數百年來，在這片海域中，船隻莫名沉沒、飛機離奇失蹤的神祕事件不斷發生。如果在地圖上標出這片海域的範圍，它恰恰是一個與百慕達三角極為相似的三角區域。因此，人們又稱它為「太平洋中的百慕達三角」。尤其是自二十世紀四〇年代以來，無數巨輪在這片海域神祕失蹤。其中大多數在失蹤時連求救訊號都沒有發出，人們也找不到任何線索來解答它們失蹤後的命運。

連續不斷的神祕失蹤事件引起了人們的重視，科學家們開始以不同的方式試圖去揭開龍三角之謎。

一九五二年九月二十三日，多名科學家搭乘一艘日本海防研究艦前往龍三角區域去研究那裡的暗礁。這次行動的目的是監控海底的異常活動，以從這一角度來解開上述沉船之謎。這艘船在離開港口後一直保持著很高的航行速度，按理說用這種速度只需一天時間就能到達研究海域。然而在接下來的三天中，該船信號全無，於是日本水上安全廳對外宣佈了這艘海防研究艦失蹤的消息。當搜救船隻趕到這片海域時，只找到了一些殘骸和碎片，但是沒有一塊碎片能夠顯示船隻的名稱，也沒有一個生還者能夠講述他們的遭遇。

隨後，這艘海防研究艦神祕失蹤的消息在《紐約時報》上被刊登出來，日本龍三角海域第一次吸引了全世界的注意力。

鑑於對這片「魔鬼海域」進行實地考察有較大的風險，因此五花八門的猜測便紛紛出爐。

流傳最久的是海怪興風作浪的傳說，但這顯然是沒有科學依據的。

還有一種是外星人說，也沒有真憑實據可以支持它。

第三種是地磁偏角說。磁偏角現象是由於地球上的南北磁極與地理上的南北極不重合而造成的。這種偏差在地球上的任何一個位置都存在，並不是日本龍三角所特有的現象。實際上，磁偏角現象不可能使航行中的船隻迷航甚至失蹤。早在五百年前哥倫布發現磁偏角現象後，它就已成為航海者的必備知識。而且，現代的船隻都有先進的航海設備。因此，這一說法不能解釋船隻迷航和沉沒的原因。

第四種是颶風說。據海洋專家觀測，日本龍三角的海域內經常形成強大的颶風。這片海域是颶風的製造工廠，其溫暖的水流每年可以製造三十起致命的風暴。有些失事船隻最後發出的隻言片語就印證了「颶風說」。於是有人認為，是颶風使得船隻的導航儀器在一瞬間全部失靈，最終導致船舶失事。這種說法看似最有道理，但是，當今大型的現代化船舶都是按照能抵禦最壞航海環境的標準製造的，一場颶風並不能毀掉它們。

最後，在日本科學家的努力探索下，龍三角之謎終於被揭開了。日本海洋科技中心在這片魔鬼海域的黑暗之處投放了一些深海探測器，這些探測器可以到達世界大洋最深的地方。科學家們花費了大量時間，終於發現：在日本龍三角西部的深海區，岩漿隨時都可能衝破薄弱的地殼，引發海底地震，形成海嘯。這種情況的發生毫無先兆，其威力之大足夠穿透海面，而且轉瞬之間它又可以平息下來，不會留下任何證據。海嘯會引發速度達每小時八百公里以上的海浪，這種巨浪是任何船隻都經受不起的。此外，毀滅性的海嘯在生成海浪時，廣闊的洋面上的海浪高度僅僅只有一公尺甚至一公尺以下。這種浪潮起伏是不易被過往船隻所察覺的。但是，大約在二十分鐘至一個小時後，災難就會降臨。如果在海嘯發生時又正好遇上了颶風，那麼船隻可能連呼救的時間都沒有了。

這一結論建立在科學論證的基礎上，揭開了日本龍三角之謎。

地中海的「死亡三角區」

神祕的魔鬼三角區位於義大利本土的南端與西西里島和科西嘉島之間。幾十艘船隻和多架飛機不明不白地在這裡被吞沒。人們稱這片海域為地中海的「死亡三角區」。

一九六九年五月十五日十八時左右，西班牙海軍的一架「信天翁」飛機在這片海域莫名其妙地栽進了大海。機長麥克金萊上尉僥倖活了下來，事後他無法說清飛機出事的原因。出事地點離海岸很近，人們打撈起了兩名機組人員的屍體，軍方派軍艦和潛水員仔細搜尋了幾天，始終沒有找到另外五名機組人員。一九六九年七月二十九日十五時五十分左右，西班牙海軍的另一架「信天翁」式飛機在同一海域執行任務時又神祕失蹤。機長博阿多發出的最後呼叫是「我們正朝巨大的太陽飛來」，令人們無法破譯。軍事當局動用了十餘架飛機和四艘水面艦船搜尋了廣闊的海域，僅僅找到了失蹤飛機上的兩把座椅。

一九八〇年六月，一架義大利班機從布朗飛往西西里島的巴拉莫城，預計航行所需時間為一小時四十五分鐘。在飛行了三十七分鐘時，機長報告了飛機的位置在龐沙島上空。之後，就再也沒有這架飛機的消息了，誰也不知道這架飛機是怎麼失蹤的。機上八十一名乘客和機組人員蹤跡全無。

更令人迷惑不解的是，在這片海域風平浪靜的時候，一些船隻也會突然失蹤。有一次失蹤事件尤為蹊蹺。

當兩艘漁船正在龐沙島西南偏西的地方捕魚的時候，在黎明時分，其中一艘名叫「加薩奧比亞號」的漁船，發現另一艘漁船「沙娜號」不見了。這兩艘漁船本來離得並不遠，並且可以通話、聯繫。起初，「加薩奧比亞號」上的人以為「沙娜號」開走了。但是當時魚情如此之好，沒有作業完畢的「沙娜號」為什麼要離開呢？

於是，「加薩奧比亞號」的船長向基地報告了這件事。三小時後一架義大利海岸巡邏直升機到達了這片海域，但是這時不僅「沙娜號」不見蹤影，就連剛剛彙報消息的「加薩奧比亞號」也不見了。直升機飛行員感到非常奇怪，於是仔細地搜索了整個海域。直到飛機油料只夠返回基地時，飛行員請求附近海域的一艘名叫「伊安尼亞號」協助搜索。這艘大型捕魚船的船長回覆說，他們的船將在三小時內抵達該海域，將會持續注意在那裡失蹤的船隻發出的求救信號，並在那裡過夜。

第二天清晨，三架直升機再次來到這一區域搜索。奇怪的是，不但沒找到前兩艘失蹤的船隻，而且連「伊安尼亞號」也不見了。這三艘船隻連同船上的五十一名船員，就這麼不明不白地在風平浪靜的海上失蹤了，而且事後一點痕跡也沒有留下。

直到今天，人們還無法揭開地中海「死亡三角區」之謎。

「幽靈島」之謎

在變幻莫測的海洋中，隱藏著無數我們至今都未解開的謎團。那些時而出現、時而消失的「幽靈島」便是其中一例。

一七〇七年，英國船長朱利葉在斯匹次培根群島以北的地平線上發現了一個島嶼，但總是無法接近它。他相信這不是光學錯覺，便在地圖上標出了這個島嶼。過了約二百年，當海軍上將瑪卡洛夫的考察隊乘坐「葉爾瑪克號」破冰船前往北極時，考察隊員們在朱利葉當年標記的地方發現了這個島嶼。一九二五年，航海家沃爾斯列依也發現了這個島嶼。可是到了一九二八年，當科學家們前去考察時，在這片海域沒有發現任何島嶼。

一八三一年七月十日，一艘義大利船在地中海西西里島西南方的海上航行時，船員們目睹了一場海上奇觀：海面上突然涌起一股巨大的水柱，直徑約二百公尺，高二十多公尺。轉眼間，水柱變成了一團煙霧，瀰漫的蒸氣升到了近六百公尺的高空。八天後，當這艘船返回時，發現這裡出現了一個冒煙的小島。這座在濃煙和沸水中誕生的小島在之後的十多天中不斷擴展、伸延。由於這個小島誕生在航運繁忙、地理位置重要的突尼斯海峽，它的出現引起了各國的重視，大量的科學家前往考察。正當人們忙於繪製海圖、測量並為這座小島的主權爭奪得不可開交時，它忽然開始縮小，僅三個月左右，便隱入水底。在以後的歲月中，它又多次露出水面，接著又隱藏起來。

在一九四三年，日本海軍在太平洋與美軍交戰中節節失利。為了疏散傷病人員和一些戰略物資，日本偵察機發現距拉包爾以南一百多海里的海域內有一個無人居住的海島。這座面積為幾十平方公里的小島綠樹成蔭，有小溪、流水，又不在主航道上，是一個疏散隱蔽傷病人員的好地方。於是，日軍將一千多名傷病人員和一些戰略物資運至這荒無人煙的海島上。傷病人員被安置在這裡之後，日軍總部一直與這裡保持著聯繫，並經常運來食品與醫療用品。誰知一個多月後，無線電聯繫突然中斷，於是軍艦前來支援。但是，再也找不到這個島了，所有物資與一千多名傷病員也隨小島一起失蹤了。

美國偵察機也發現過該島，並拍下了詳細的照片，發現有日軍躲藏，但派出軍艦前來搜索時，也撲了個空。這個海島與島上的一千多人哪裡去了？戰後，日本、美國都派出大型海洋考察船來這一海域搜索，還派出潛水員深入海底尋找了較長時間，也未發現任何線索。

一九九〇年，美國中央情報局在太平洋戰略重地海域的一座無人居住的小島上，偷偷安裝了海面遙感監測器，與天上的美軍軍事間諜衛星遙相呼應，以監視前蘇聯海軍的核潛艇在太平洋海域的動態。這座「諜島」獲得的情報直通五角大樓——美國國防部。凡在這一帶海域行駛的商船、軍艦及在此出沒的潛水艇、飛機等無不在五角大樓的監視之中。一九九一年的一天，「諜島」的監視與信息系統突然中斷，美國國防部大為震驚。於是，美國派出一支巡洋艦隊以演習為名，悄悄調查此事。誰知當艦隊趕到出事地點時，發現諜島已經從海洋中消失了。美國科學家們仔細檢查了這一帶海洋監測系統，並沒有發現這一帶海域，發生過地震或海嘯引起海底地形變化而使小島沉沒在水中的事件，也沒有可能是前蘇聯埋下數千噸炸藥摧毀了這個小島。那麼，這一「諜島」是如何失蹤的呢？美國國防部陷入了茫然的境地。

面對這些時隱時現的小島，各國的海洋地質科學家、教授，還有學者都表現出了濃厚的興趣，他們把這種出沒無常的島嶼稱為「幽靈島」。

法國科學家對這類「幽靈島」的成因給出了如下解釋：由於撒哈拉沙漠之下有巨大的暗河流入大洋，巨量沙土在海底迅速堆積增高，直至升出海面，因此臨時的沙島便這樣形成了。然而，暗河水會出現越堵越洶湧的情況，並會沖擊沙島，使之迅速被沖垮，從海洋中消失。

美國海洋地質學家京利・高羅爾教授則認為，「幽靈島」的基礎是花崗岩，而且島上有茂盛的植物與動物群，形成的年代較為久遠，暗河流是沖擊不了的。那麼「幽靈島」為什麼會突然消失呢？他認為，「幽靈島」出現的海域是地震頻繁活動的地區，海底強烈的海嘯和地震使它們葬身海底。他還認為，如果太平洋西北部的海底板塊產生強烈的大地震使之大分裂的話，日本本島、九州島也會遭到和「幽靈島」同樣的命運，沉沒在碧波萬頃的大海之中，而且他認為自己並非是危言聳聽。

除此之外，人們還有種種不同的觀點。然而這些終究只是推測，「幽靈島」形成與消失之謎，還有待科學家們繼續研究。

太平洋垃圾島

在太平洋上人跡罕至的地方，無數的塑料垃圾聚集在一個大渦旋附近，形成了一個「垃圾島」。「垃圾島」位於加利福尼亞州與夏威夷之間的海域。它的面積是英國的六倍，人們稱它為「第八大陸」。

太平洋垃圾島

一九九七年，海洋學家查爾斯・摩爾駕船穿過北太平洋環流系統時，發現了這個「垃圾島」。其實在一般情況下，航海家都會避免從海洋環流系統經過。因為這種持續不變的高壓系統，即已知的赤道無風帶，沒有可以給航行帶來好處的風和氣流。

摩爾發現，大量的塑料瓶蓋、塑料袋、高頻絕緣材料和微小的塑料芯片漂浮在海面上。陽光和海浪慢慢地使它們分解，把它們變成了無數小碎片。這些碎片懸浮在海面下，那些試圖給這個塑料大陸繪圖的船隻和衛星根本看不到它們。

科學家們現在已經搞清楚了這座超級垃圾堆形成的原因。那些被廢棄的塑料垃圾經過下水道進入了海洋，而不斷運動的洋流使它們聚集在了一起，並最終形成了現在看到的「垃圾島」。由於洋流呈循環式運動，原本分散的小塊垃圾會被逐漸地匯聚在一起。在過去六十年間，這個「垃圾島」的面積一直在逐漸擴大。據統計，這裡的垃圾多達一千萬噸。

這個「垃圾島」有很大的危害。它不僅會破壞海洋生態系統，而且它周圍的海水都充斥著有毒的化學物質和細小的塑料碎片。這些東西會被魚類吃到肚子裡，如果人類吃了這些魚類就會產生嚴重的健康問題。

神奇的紅樹林

紅樹林是一種特殊的生態系統。它是一種陸地向海洋過渡的潮灘濕地植物群落，主要生長在陸地與海洋交界的淺灘上。紅樹林是目前世界上少數幾個物種最多樣化的生態系統之一，其中的生物資源非常豐富。

為什麼紅樹林內會有如此豐富的生物資源呢？這是因為紅樹林從海底土壤中吸取養分，而樹林中那些腐爛的枝葉就成了魚蝦的餌料。同時，紅樹林內有發達的潮溝，能夠吸引深水區的動物來這裡覓食棲息。由於紅樹林處於亞熱帶和溫帶地區，那些遷徙的候鳥把它當成越冬場和遷徙中轉站，各種海鳥也在這裡繁衍生息。

更有趣的是，紅樹林中的植物像動物一樣採用胎生的方式進行繁殖。紅樹林植物的果實成熟後，不會自然脫落。果實內的胚芽就會開始發育，漸漸地變為帶有胚莖的「筆狀胎生苗」。胎生苗長成具有支撐根和呼吸根的棒槌狀幼苗後，就會離開母株，落地生根。

消失的特提斯海

你是否能夠想像，如今的地中海在過去曾是一個比現在大上百倍的喇叭形巨洋——特提斯海。現在位於歐洲和非洲間的地中海就是特提斯海的殘留部分。

在二億八千萬年前的早二疊紀時代，地球上的海陸分佈格局與今天完全不同。那時的青藏高原是一片波濤洶湧的遼闊海洋。非洲、印度、澳洲和南極洲是連在一起的古陸，地質學上把它叫做岡瓦納古陸。一八八五年，德國地質學家M·諾伊邁爾根據歐亞大陸南部和非洲北部侏羅紀、早白堊紀熱帶及亞熱帶的海生動物群，提出在岡瓦納古陸北部和歐亞古陸的南部之間，曾經存在著一個規模巨大的古海洋，稱之為「中央地中海」。

奧地利著名地質學家愛德華·修斯在十九世紀六〇年代就已經注意到了阿爾卑斯和喜馬拉雅之間中生代，特別是三疊紀動物群的密切關係。一八九三年，他根據古希臘神話故事裡有關特提斯的傳說，將「中央地中海」改名為「特提斯海」。在希臘神話故事中，特提斯容貌美麗，有「美髮女神」和「銀腳女神」之稱。她心地善良，對遇難的神祇會盡力給予幫助。

「特提斯海」這個美麗而尊貴的名字，被地質學界的科學家們沿用至今。特提斯海經歷了漫長的地質演化時期後，變成了今天的地中海。特提斯海的每一次變化都在地球上留下了深深的印記，同時也留下了許多不解之謎。其演化史對科學家，尤其是對地質學家們來說，是一個長盛不衰的研究課題。

特提斯海為什麼會消失呢？曾經有一些地質學家根據所獲得的資料，再加上豐富的想像力，提出過種種假說。到了近代，科學技術有了很大發展，人們所得到的資料比過去豐富得多。於是，各種觀點之間，既有排斥否定，又有滲透融合，逐漸形成了兩大學派：固定論學派和活動論學派。

固定論學派認為，今天的地中海是一個複合式海盆。在陸塊沉陷與裂合作用下，形成了邊緣海，經常有火山活動和地震發生就是最重要的證明。固定論者還勾畫出地中海複合式海盆的某些特徵。中國著名地質學家黃汲清教授所創立的槽臺多迴旋說，對特提斯海的形成演變做了有說服力的論證。例如，在中國大陸及其他地區，發現了很多特提斯海全盛時期的生物化石、沉積岩石、岩漿石及火山噴發的物質。在中國新疆還找到了只有在岡瓦納古陸上生長過的水龍獸、二齒獸的化石。就連岡瓦納古陸和歐亞大陸發生碰撞的縫合線，也在中國的西藏、新疆、青海的邊界處被找到了。不僅如此，人們還認為，阿爾卑斯山—地中海—喜馬拉雅山是一條地槽帶。

活動論實際上是用大陸漂移說、海底擴張說、板塊構造說來解釋地中海的成因。根據「格洛瑪·挑戰者」號鑽探船在世界各大洋獲得的大量鑽孔岩芯資料，以及海底古磁性條帶的發現，更多人相信，是海底擴張造成了陸地板塊的漂移。根據這一學說，大西洋在逐漸擴大，太平洋則在逐漸縮減，而地處歐、非、亞大陸中的地中海正處於逐漸消亡的過程之中。於是，有人認為，今天的地中海是古特提斯海的一部分。

直到今天，特提斯海消失的原因仍然是人們研究的「熱點」。

「魔藻之海」——馬尾藻海

在大西洋中部，有一片長滿了馬尾藻的「海之綠野」——馬尾藻海，號稱「魔藻之海」。自古以來，進入這片「綠色海洋」的船隻幾乎無一能「完璧歸趙」。在帆船時代，不知有多少船隻，因為誤入了這片奇特的海域，被馬尾藻死死地纏住。船上的人常常因淡水和食品用盡而無一生還，於是人們把這片海域稱為「海洋的墳地」。

馬尾藻海是世界上唯一沒有海岸的海，在北緯二十到三十五度、西經三十至七十度之間，覆蓋了五百萬至六百萬平方公里的水域。馬尾藻海圍繞著百慕達群島，雖然它名為「海」，但從嚴格意義上來說，只是大西洋中一片特殊的水域。它的西邊與北美大陸隔著寬闊的海域，其他三面都是廣闊的洋面，因此也沒有明確的海域分界線。

馬尾藻海還被公認為世界上最清澈的海，其透明度深達六十六點五公尺，有的海區甚至能達七十二公尺。海面上佈滿了綠色的馬尾藻，遠遠望去，彷彿是一派草原風光。在洋流的帶動下，漂浮著馬尾藻的海面又如一塊巨大的橄欖色地毯。海洋生物學家們對馬尾藻在這裡瘋狂生長的現象感到困惑不解。更令人吃驚的是，千百年來，許多船隻闖入馬尾藻海後，多數沒能從那裡逃脫。

一四九二年八月三日早晨，義大利航海家哥倫布率領的一支船隊，就在那裡被馬尾藻包圍了。他們在馬尾藻海上航行了整整三個星期，最後在全體船員們的奮力拼搏下才得以死裡逃生。

在第二次世界大戰期間，英國的奧茲明少校曾親自去過馬尾藻海。這片海域上沒有風，「綠野」發出令人作嘔的奇臭，到處都是毀壞了的船骸。這些馬尾藻的表面有極大的黏性，吸住人的手後，竟會在皮膚上留下血痕。到了晚上，馬尾藻就像蛇一樣爬上船的甲板，似乎要將船裹住不放。為了航行，他只好不停地把馬尾藻掃掉，可是它們越來越多，像潮水一樣湧上甲板。經過一番搏鬥，精疲力竭的他僥倖得以逃生。

而且，在這片空曠而死寂的海域中幾乎捕撈不到任何可以食用的魚類。海龜和偶爾出現的鯨魚似乎是唯一的生命，此外就是那些單細胞的水藻。在衆口相傳的故事中，經過馬尾藻海的船會被帶有魔力的海藻纏住，陷在海藻群中無法出來，最終只剩下水手的累累白骨和船隻的殘骸。另外，百慕達魔鬼三角作為這一海域上最著名的神祕地帶，則將這些恐怖的傳說推向了極致。

為什麼馬尾藻海的海難事件這麼多呢？在海洋學家和氣象學家的共同努力之下，船隻在這裡受困的原因終於被找出來了。

原來，這塊面積達三百萬平方公里的橢圓形海域正處於四個大洋流的包圍之中。在它西面的灣流、北面的北大西洋暖流、東面的加納利寒流和南面的北赤道暖流共同作用下，這裡的海水以順時針方向緩慢流動，因此這塊海域上異常「平靜」，常年無風，因此，才會使古老的靠風和洋流助動的船隻，在這片海域難以前進。由此，馬尾藻海鹽分偏高、海水溫暖、浮游生物衆多的問題也都迎刃而解。雖然馬尾藻海中的海藻被證實了，並非是阻擋船隻前進並吞噬海員的魔藻，但是馬尾藻海的神祕面紗卻並未因此而完全揭開。

海怪之謎

從古至今，在世界各地的漁夫和水手們當中，都流傳著海怪的駭人故事。在傳說中，海怪往往體型巨大，形狀怪異，有的甚至長著七個或九個頭。其中最著名的就是一七五二年卑爾根主教龐托畢丹在《挪威博物學》中描述的「挪威海怪」。書中寫道：「牠背部，或者該說牠身體的上部，周圍看來大約有一哩半，好像小島似的。……後來有幾個發亮的尖端或角出現，伸出水面，越伸越高，有些像中型船隻的桅杆那麼高大，這些東西大概是怪物的臂，據說可以把最大的戰艦拉下海底。」

近代以來，有關海怪的各種報導仍不間斷，那些過於荒誕的傳說顯然是不可信的，但是有些報導仍然值得注意。

一八九六年年底，兩位正在聖・奧古斯丁海灘玩耍的男孩發現了一個巨大的白色生物體。牠有七公尺多長，二公尺多寬，重達七噸，而且牠的肉非常有彈性。

當時最有名的頭足類動物專家、耶魯大學的阿狄森博士斷定牠是一種未知的巨型章魚屍體，並將牠命名為「巨型章魚」。他在書中寫道：「巨型章魚活著的時候，有著令人恐懼的臂，每條臂至少有三十公尺長，有一艘大船的桅杆那麼粗。牠有著數以百計的碟狀吸盤，最大的吸盤直徑至少是三十公分。」在此之前的關於章魚的記錄中，最大的個體兩臂伸直也不過六公尺。人們認為挪威海怪就是一種巨型章魚或者魷魚，只是還沒有定論。

巨型章魚

但是，從別處傳來的消息有很大的差別。有的消息稱，海怪的個頭非常大，脖頸上長著鬃毛一樣的東西。又有的消息稱，海怪的頭和蜥蜴的頭部非常相似，個頭並不大。還有消息說，海怪的身體呈圓柱形，外皮呈暗褐色。更為離奇的是，一九六六年美國的一位目擊者稱，他見到的海怪頭部像牛一樣，長著長長的脖頸，頭上沒有角，也沒有耳朵，兩眼放射著令人恐懼的綠光等等。

一九六四年，科學家從海洋五百四十公尺深處，捕獲了海百合。過了幾年，又捕獲了鮮紅色的海膽。這些都是生活在一億五千年萬前的動物，人們之前只是見到過牠們的化石，而今竟然還能見到活生生的個體。有的研究者認為，既然古生物可以留存到現在，那麼人們所傳說的海怪，也許正是從古代存活下來長十五公尺的蛇頸龍的一種。而且這種古生物生活在穩定的深海環境裡，其數量更是少之又少。因此，人們很難見到其蹤影，一旦見到就以為是海怪。

當然，這也只是人們對海怪的一種比較合乎邏輯的猜測，並不意味著海怪之謎已完全解開。

海底的「可燃冰」

在海洋深處存在著一種奇怪的「冰」，它透明、無色，外表和普通冰塊別無二致。但是這種「冰」是可以燃燒的，所以科學家們將它命名為「可燃冰」。

可燃冰的學名叫「甲烷水合物」，它的主要成分是甲烷分子與水分子。從外表上看它像冰塊，從微觀上看其分子結構就像一個一個由若干水分子組成的籠子，每個籠子裡「關」著一個氣體分子。在常溫常壓下，可燃冰會分解成水與甲烷，得到的甲烷體積比固體狀態時的體積大一百多倍。

可燃冰的能量比石油和天然氣要大得多。一立方公尺可燃冰蘊含的能量相當於一百六十四立方公尺天然氣蘊含的能量。

科學家研究後發現，可燃冰的形成與海底石油的形成過程類似。海底地層深處埋藏著大量的有機物。在缺氧的環境中，有機物逐漸被細菌分解，最後形成石油和天然氣。其中許多天然氣又被包裹進水分子中，在海底的低溫與高壓下形成了「可燃冰」。這是因為天然氣有個特殊性能，它和水在溫度為二至五℃時可以結晶，這個結晶就是「可燃冰」。

為了研究與開發海底可燃冰資源，許多國家投入了巨大的資金與人力。二〇〇一年數十名生物學家、化學家、海洋學家和地球物理學家前往海洋考察。他們探明加利福尼亞灣與北海、挪威海、鄂霍次克海、愛琴海均儲藏有大量可燃冰。有些海域的海底可燃冰分佈區域長達一千公尺，冰層厚達六公尺。

黑海的可燃冰儲載量居世界之首。在黑海的六十至六百五十公尺深處，有一百五十個可燃冰礦藏。長期從事黑海海底研究的海洋科學家葉戈羅夫，曾乘坐潛水裝置到黑海西北部海底，發現在二百二十六公尺深處，許多高約三公尺的珊瑚狀堆積物坐落在平滑的海底軟泥上，其中許多堆積物向水流方向傾斜。這些堆積物的頂端有許多小孔，小孔周圍有一片片厚厚的死菌層，大量的氣泡從這些小孔釋放到水中。他曾在一次考察中，在透過回聲探測器測定的海底冒出氣流的地方，放下一個特製的捕集器。他從收集的海水中分離出了甲烷，並用來煮過咖啡。

目前，全球的石油、天然氣資源消耗巨大，科學家預計在不久的將來，這些常規能源就會枯竭。可燃冰的發現讓陷入能源危機的人類看到了新希望。可燃冰年復一年地積累，形成延伸數千乃至數萬里的礦床。僅僅是現在探明的可燃冰儲量就比全世界煤炭、石油和天然氣加起來的儲量還要多幾倍。科學家估計，海底可燃冰分佈的範圍約佔海洋總面積的百分之十，相當於四千萬平方公里，足夠人類使用一千年。

但是，海底可燃冰的開採十分困難，以目前的技術手段還無法做到。所以，這筆巨大的財富至今仍深埋於海底。

海　　雪

我們都見過陸地上下雪的情景，可是誰能想到海底竟然也有紛紛揚揚的「雪花」。

如果我們乘坐潛水艇潛入黑暗的海底世界時，透過探照燈的照明，可以看到窗外竟然飛舞著無數雪花一樣的物質。當潛水艇下降時，「雪花」自下而上運動；當潛水艇上升時，「雪花」自上而下運動，就像在下雪一樣。這就是「海雪」。「海雪」主要是由浮游生物組成的絮狀物構成的，科學家們稱之為「浮游生物雪」。它是由海洋中的懸浮顆粒碰撞後黏連在一起形成較大的浮游物。但是，為什麼看上去像下雪呢？

科學家說，這完全是水中光學作用的結果。比如在暗室裡，我們看不見飄散在空氣中的細小灰塵，當陽光照射進室內後，便可以看見太陽光束中的懸浮物。在海洋中，由於探照燈的照射，大量的懸浮物就會閃爍白光。加上折射作用，在水中的物體看起來比實際的要大，這樣海水中的懸浮物看上去就好像是雪花了。

海雪漂蕩在海水中，承擔著將海水深層的營養物質搬運到海水表層的重要任務。浮游生物的殘骸在中、深層海水中被氧化分解後，會產生氮、磷、碳等元素。因此，中、深層海水中的營養素比表層海水更豐富。

海雪不僅影響著海洋中營養物質的分佈，而且還影響著海洋中其他多種微量重金屬的分佈和變化。海雪中除了部分有機物之外，還有大量的無機物，例如硅藻等的硅酸鹽外殼或者圓石藻和有孔蟲的碳酸鹽外殼。那些同生物生長密切相關顆粒的沉降量，隨表層海面中生物生產力的高低不同而差異明顯。那些同生物無關的物質則主要是來自陸地的土壤粒子和海水中的沉澱物。因此，海雪的化學成分也隨海域和季節的不同而變化。

北太平洋和南極海的海雪中硅藻偏多，而北大西洋的海雪中石灰質的圓石藻偏多。有機物的比例一般隨深度的增加而減小，有的在中途就會發生分解。

儘管如此，到達海底的海雪中仍然含有許多新鮮的有機物，是深海生物高營養的食物。另外，海雪的沉降量隨表層生物的生產季節而變化，從而使得海底生物也可以感覺到季節的變化。

神奇的海火

一九七五年九月二日傍晚，在江蘇省近海朗家沙附近，人們發現海面上出現了奇異的亮光。海面看起來就像著火了一樣，火光隨著波浪翻騰不息，直到天亮才漸漸消失。在這之後的第二天至第七天，海面上的火光連續出現，而且一天比一天亮。尤其是第七天，海面上竟然湧起了很多泡沫。海水異常明亮，如同燈光照耀，水中還有珍珠般閃閃發光的顆粒。幾小時後，這裡就發生了一次地震。

這種海水發光現象被人們稱為「海火」。它常出現在地震或海嘯之前。一九七六年七月唐山大地震的前一天晚上，秦皇島、北戴河一帶的海面也出現過發光現象。尤其在秦皇島碼頭，人們看到海水中竟然出現了一條火龍似的明亮光帶。

在世界上很多地方都有人見過海火，海火的確是一種奇異的現象。它是如何產生的呢？這個問題令人們倍感困惑。

很多人認為，海火是海裡的發光生物受到驚擾而發光所致。這些生物種類繁多，除甲藻、細菌外，還有放射蟲、水螅、水母、鞭毛蟲以及一些甲殼類、多毛類等小動物。因此人們推測，當海水受到地震或海嘯的劇烈震蕩時便會刺激這些生物，使它們發出異常的亮光。但是有一些研究者並不同意這一觀點。他們指出，在狂風大浪的夜晚，海水也同樣受到激烈震盪，為什麼卻沒有產生海火？

還有一種看法認為，海火是發光浮游生物大面積聚集而引起海水發光的現象。發光浮游生物的發光機制包括細胞內發光和細胞外發光兩類。細胞內發光的浮游生物較普遍，以夜光藻為代表；細胞外發光則是由於生物體的某些腺體中含有能發光的物質。這兩種機制都是透過化學反應將化學能轉變為光能，放出的能量很微弱，稱為冷光。

另外，美國的一些學者對圓柱形的花崗岩、玄武岩、煤、大理岩等多種岩石式樣進行壓縮破裂實驗時發現：當壓力足夠大時，這些岩石式樣會產生爆炸性碎裂，並在幾毫秒內釋放出一股電子流，電子流會激發周圍氣體分子發出微光。如果把樣品放在水中，則碎裂時產生的電子流能使水發光。當強烈地震發生時，廣泛出現的岩石爆裂，足以發出使人感到炫目耀眼的亮光。所以，他們認為海火的產生與這種機制有關。

作為一種複雜的自然現象，海火的形成可能有多種原因，生物發光和岩石爆裂發光只是其中的兩種。除此之外，海火可能還有其他成因，有待人們進一步研究。

海底玻璃之謎

玻璃在日常生活中很常見，人們每天都要與各種各樣的玻璃製品打交道，如玻璃杯、玻璃燈管、玻璃窗戶等。普通玻璃製品是以花崗岩風化形成的硅砂為原料，在高溫下熔化，加工成型，再經過冷卻後製造出來的。然而，在深海海底，人們居然也發現了許多體積巨大的玻璃塊。人們稱這種玻璃為海底玻璃。

海底玻璃的成分和普通玻璃幾乎沒有差別。它們耐高溫，化學穩定性好，透紫外光和紅外光。而且由於海底各種稀有金屬豐富，所以海底玻璃裡也富含多種金屬元素。此外，海底玻璃還具有很多普通玻璃不具備的獨特性質。

為了解開海底玻璃之謎，科學家們進行了多方面的分析和研究。但是首先可以肯定的是，這些玻璃不可能是人工製造出來後被扔到深海裡去的。因為它們體積巨大，遠非人工所能製造。

那麼這些海底玻璃到底是怎樣形成的呢？

有人認為，它們很可能是由海底火山活動製造出來的。玻璃的化學成分主要是硅，天然純淨的硅又叫水晶。如果在海底地殼某處存在著大量的水晶，而此處又恰巧有火山活動，那麼炙熱的岩漿就會使這些水晶融化，並將它們從地殼深處帶到海底，含硅的岩漿遇到寒冷的海水，便形成了天然的玻璃。這些天然玻璃在地殼活動和潮水搬運的作用下，逐漸遠離火山口，直至被人們發現。

也有人認為，可能是海底的玄武岩受到高壓後，同海水中某些物質發生了一種未知的作用，生成了某種凝膠體，最終形成了玻璃。人類製造一塊最普通的玻璃，都需要一千四百至一千五百℃的高溫；而且熔化爐所用的耐火材料受到高溫玻璃溶液的劇烈侵蝕後，會產生有害氣體，影響工人的健康。假如能用高壓代替高溫，將會徹底改變這種狀況。出於這個設想，有些化學家把發現海底玻璃地區的玄武岩，放在裝有海水的容器裡，加壓至四百個大氣壓力，但是並沒有製造出玻璃。

海底玻璃到底是怎樣形成的呢？這個問題迄今仍然是一個未解之謎。

海底「濃煙」之謎

一九七九年三月，美國的一些海洋學家們乘坐「阿爾文號」深海潛艇，到墨西哥西面北緯二十一度的太平洋海域進行水下考察。當「阿爾文號」漸漸接近海底時，透過潛艇的舷窗，科學家們在潛艇探照燈的光影裡，看到一根根高達六七公尺像煙囪般的石柱散佈在海底，石柱頂部還不斷地噴發出滾滾「濃煙」。

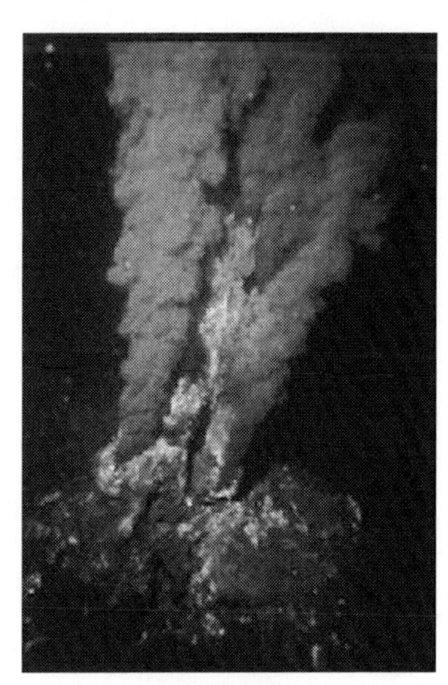

海底「濃烟」

「阿爾文號」靠近「濃煙」，科學家們將溫度探測器伸進了「濃煙」中。探測結果讓所有人都大吃一驚，那裡的溫度竟高達一千℃。經過仔細研究，他們發現這股海底「濃煙」原來是一種金屬熱液「噴泉」。當它遇到寒冷的海水時，便立刻凝結出銅、鐵、鋅等金屬硫化物，並堆積在噴發口的周圍，逐漸形成了一個石柱狀的「煙囪」。

這一發現在科學界引起了極大的反響，人們紛紛猜測海底「濃煙」的成因以及它將會給地球造成何種後果。

美國的一位科學家奧溫認為，這種海底「噴泉」可能與地球氣候的變化有著密切的聯繫。

奧溫在研究了從東太平洋海底獲取的沉積物和岩樣以後，發現在二千萬至五千萬年前的沉積物中，鐵的含量為現在的五至十倍，鈣的含量則為現在的三倍。為什麼沉積物中鈣、鐵等的含量這樣高？奧溫認為這可能與海底噴泉活動的增強有關。

奧溫在進一步研究後提出，海底噴泉所噴出的物質能夠與海水中的硫酸氫鈣發生反應，並生成二氧化碳。現在的海底噴泉提供給大氣的二氧化碳，佔大氣中二氧化碳自然來源的百分之十四至二十二。因此，當海底噴泉的噴發物為現在的三倍時，大氣中二氧化碳的含量必將大大增加。

到目前為止，海底「濃煙」中還隱藏著許多祕密，人們期待著科學家能有新的發現。

海底洞穴探祕

在大海底部有很多洞穴，甚至還有一些「無底洞」。很多人對這些神祕的海底洞穴有著強烈的興趣。

印度洋北部海域有一個「無底洞」，其半徑約為五點五公里。印度洋的洋流屬於典型的季風洋流，夏季盛行西南季風，海水由西向東順時針流動，冬季則剛好相反。但是「無底洞」所在的海域不受這些變化的影響，幾乎呈無洋流的靜止狀態。

一九九二年八月，裝備有先進探測儀器的澳洲「哥倫布號」科學考察船在印度洋北部海域進行了科學考察。他們認為「無底洞」可能是一個尚未被認識的海洋「黑洞」。根據海水振動頻率低且波長較長的特點，「黑洞」可能有一個由中心向外輻射的巨大引力場，但這仍有待進一步的科學考察來驗證。

在地中海東部希臘克法利尼亞島附近的麥奧尼亞海域，也有一個許多世紀以來一直在吸納著大量海水的

「無底洞」。

同樣，在西班牙沿岸的維林西亞海灣，人們也發現一個海底洞穴。潛水員馬紐爾·西里維亞和他的法國朋友瑞尼·比諾宜特等人，曾經一起到這裡進行過潛水探險工作。

一天黎明，他們從冰涼的低潮海水中潛入海底時，發現有一道粉白色的光從岩礁前邊射出來。於是，他們就游到那裡想要看個究竟，隨後發現這道強烈的光是從水下一個洞口處射出來的。這個洞口一直通向一個狹長的岩洞。他們為了探索這個曲折的洞穴，艱難地潛游了半個多小時。突然間，那道光消失了，他們只好掉頭慢慢地游出了洞穴，回到了原來的地方。

第二天上午九點後，兩名潛水員又來到岩洞的洞口進行考察，可這次沒有看到有光從洞口射出來了。他們分頭尋找了很長時間也沒有看到光，只好掃興而歸。他們在想：難道這個海底洞穴是一個神祕的幻境嗎？

他們一連數天都在討論這個洞穴之謎，最後決定還按照發現粉白色光的那個黎明的時間再次去探索。於是，接下來的那天黎明他們再次潛入了海底。

果然，他們又看到了粉白色光在遠處閃耀了。他們迅速朝光的方向游去，但到了岩洞口光又消失了。為了弄個明白，他們像登山運動員那樣用尼龍繩子拴著身體，順著洞口爬進洞底去了。雖然岩洞深處十分明亮，但他們找不到光的來源。

經過長時間的考察，他們終於找到了答案：他們精確地測量了海水的深度以及太陽在早晨升起時的角度，尤其在十月份時精心觀測了早上陽光照射的傾角。這個傾角只有十月份時才能到達海水的表面而射入岩洞的洞口，大量的光線組成光束射向洞內，便形成了粉白色的陽光反射。

人類在一些海底洞穴中，還發現了千姿百態的鐘乳石和巍峨挺拔的石林，甚至找到了遠古人類的骸骨、古生代長毛象的牙齒以及舊石器時代人類使用的投擲標槍等史前遺物。

一九七五年，美國海洋學家們在墨西哥灣那不勒斯附近的海底洞穴中發現了一個淡水泉眼，水溫是三十六℃。他們在礦泉附近一堆十多公尺厚的沉積物中，挖出了一個遠古人類的下頜骨。在一塊重七噸左右的圓石底下，他們又找到一塊鐘乳石，在鐘乳石上的沉積物中，有一堆古代人類遺骨的殘骸。

據他們分析，這裡很可能是古代葬場的遺址。近處還有一塊重達二十噸的大塊鐘乳石，它橫臥在岩洞深處的海底。洞穴學家與考古學家採集了許多標本帶回實驗室，同時使用放射性碳元素進行鑑定分析。結果顯示這些人類骨骼殘骸是屬於生活在美洲當地的遠古人類。這些遠古人類生活的年代距今有一萬多年，而這些巨大的鐘乳石的地質年代就更為久遠了。

不久，潛水員在洞穴中又找到五億年至二千二百五十萬年前古生代長毛象的一枚臼齒、兩枚較小的乳齒象的牙齒，和一枚粗大的乳齒象的弧形門齒。這些稀有的史前遺物已經在海洋深處沉睡了上億年，它們之所以能保存下來，是由於海底洞穴在過去一直是「禁區」。沒有先進的技術裝備，人類無法身臨其境。

潛水員還在海底洞穴中發現了舊石器時代人類使用過的投擲標槍。標槍前端綁扎著骨製的尖鉤，後端是托把，中間綁著一塊墜重和控制方向的石塊。顯然，它是用於打獵和捕魚的。

神祕的海底洞穴中還隱藏著許多不為人知的祕密，等待著勇敢的冒險家前去探索。

美麗的「海底公園」

閒暇時，人們總會去公園走走，呼吸新鮮空氣，欣賞美麗的風景。其實，在大海深處也有一些「公園」，而且這些「海底公園」的景色，絕不亞於陸地上的美麗風光。

在中國南海海底就有這樣一座美麗的「海底公園」：紅色的珊瑚骨枝好像秋日的楓林，綠色的珊瑚猶如夏日的荷葉，藍黃相間的花斑魚穿游在枝杈疏朗的珊瑚之間，構成了一幅五彩繽紛的誘人畫面。

最令人驚嘆的是位於澳洲東北岸的大堡礁，它被稱為世界上最壯觀的「海底公園」。這個由珊瑚島組成的海底公園，綿延二千多公里。不可計數的珊瑚蟲在這裡營建起大量珊瑚礁，構成了一條總面積為二萬七千平方公里的大堡礁防波堤。太平洋洶湧澎湃的怒潮一觸及礁石，就化作無數水沫，向四面八方飛散開來。晚上，你若帶著潛水聚光燈潛入海底，色彩鮮艷的珊瑚樹枝在燈光的照射下就像一叢叢盛開的鮮花。那些身體輕盈、金光閃閃的蝴蝶魚、天使魚、雀鯛、燕魚從面前游過，像疾飛的鳥兒一般。那彩霞般的軟體動物蠕動著肥胖的身體，煞是好看。在這裡，人們還可以看到一種稀有的魚類——蝠鱝，魚體寬大扁平，性情十分溫順。你若突然出現在牠面前，牠會來個漂亮的翻身，為你讓道。有時候，牠會在你的頭頂上游來游去。要是你大膽地爬到牠背上，牠還會帶著你慢慢地往下沉，隨後翻個身，一溜煙游開。這裡還有一種鸚鵡魚，牠能從口中吐出黏液，「織成」一頂透明的帳子，讓自己躲在裡面睡覺。

在這座「海底公園」裡，各種生物都有自己的領地。例如一隻小小的熱帶魚，牠的領地小得只是礁石上的一叢海葵。但是如果有人侵犯牠的領地，牠就會不顧一切地衝過去，直到趕走入侵者。海底的珊瑚就像一座大旅館，為各種魚兒提供住宿，魚兒則以體內排出的廢物作為「房租」，因為這些廢物正是珊瑚極好的養料。每當夜晚來臨，白天不露面的生物都出來了，有海蟹、海星，還有蠕蟲。只要見到光，蠕蟲就會成千上萬地撲上去，十分壯觀。澳洲政府把擁有多種珊瑚與一千五百多種魚類的大堡礁建成了海底公園。這座公園配置了先進的通氣管與水下呼吸設施，以方便旅游者一飽眼福。

在加勒比海上，有一座球狀的珊瑚島。每當夜幕降臨時，這座海島四周的海面上會不時地閃耀著忽明忽暗的亮光，這就是世界上最繁茂的海洋植物園。這裡茂密的珊瑚樹叢交織成了一張稠密的天然大網。每當海水向前湧動時，大網便將海水層層過濾，使無數隨著海水而來的微生物留在珊瑚樹枝上。海水被不斷地過濾，微生物就愈來愈多，從而形成了巨大的海底微生物樂園。這些微生物大都能發光，每當它們聚在一起，夜間便發出幽藍色的光。由於海水在珊瑚間不斷沖擊而形成了奇特的洞隙，這些洞隙的四壁被許多紅色、綠色、黃色的海綿、海星等裝飾得美麗非凡，就像聖誕樹上掛著五彩繽紛的禮物。

大海就是這樣一個神奇的世界，「海底公園」以它無窮的魅力吸引著人們。

神祕的海底石牆

一九六八年春，兩位美國作家駕船駛過比密里島北岸的一片海域時，發現海底有一些巨大的怪石頭。這些石頭每塊約有六公尺長、三公尺寬、零點六公尺高，看起來似乎是人工雕琢而成的。這些石塊堆砌成了一道幾百公尺長的巨大石牆。這道神祕的海底石牆吸引了許多人前去探祕。

有些考古學家透過考證後說，這些石頭至少已經在水中沉睡了一萬年。那麼，一萬年前這裡是什麼樣的呢？如果這些石頭是人工製造的，則說明這裡曾有過一個文明程度甚高的城市。但是這裡除了石牆就沒有別的建築物了，而且史書上這個地方也從來沒有關於城市的記錄。有的考古學家則認為，這道海底石牆是自然形成的。巨石在海浪的沖刷下，恰好堆積成圍牆的形狀。到目前為止，關於這道海底石牆還沒有合理的解釋。

神祕的海底鐵塔

一九六四年八月二十九日，「艾爾塔寧號」科學考察船航行至智利的合恩角以西七千四百公里左右停泊。他們把一臺特製的水下攝影機安裝在一個圓柱形鋼製保護殼內，用電纜線將其繫在考察船上，並放置到四千五百公尺深的海底進行水下拍攝。

考察結束後，當技術人員對當天拍攝的底片進行顯影處理時，在一張膠片上發現了一個奇特的東西。當膠片放大洗成照片後，他們清晰地看到了一個頂端呈針狀的海底「鐵塔」。從塔中部延伸出四排芯棒，芯棒與鐵塔成九十度角，每個芯棒末端都有一個白色小球。這東西看上去像是一座塔式發射天線。

船上的工作人員認為，這座「鐵塔」是智慧生物建造的。因為從照片上看，這座海底「鐵塔」無論如何也不像是自然形成的。他們還說，水下攝影機能拍到這個神奇的海底鐵塔簡直是僥倖。因為海底如此浩瀚無垠，而且水下攝影機早已被輸入了既定的電腦程序，它只在固定的時間才開機拍攝。

一九六四年十二月四日，「艾爾塔寧號」完成考察使命後，駛入了新西蘭的奧克蘭港。船員上岸後，把這張拍攝有「鐵塔」的照片拿給一位記者看。記者問隨船的海洋生物學家托馬斯・霍普金斯：「這是什麼東西？」霍普金斯回答說：「它不是海洋植物。在三千五百公尺深的海底根本見不到陽光，那裡不可能有光合作用，更不可能有植物存活。它有可能是一種奇特的珊瑚類生物。可是，過去我們無論是誰，都從未聽說過這類生物。我不想說這座神祕的海底『鐵塔』是人建造的，倘若這樣，會產生一個無法解釋的問題：人是以何種方式到達如此深的海底？又是出於什麼目的去建造它？」事情更加撲朔迷離了。

不久之後，新西蘭的UFO研究者把這張照片的複製品寄給了美國從事月球遙控器指令研究的著名太空工程師C・霍尼，請他對此做出解釋。

霍尼憑藉他多年的研究經驗認為，這個神祕的水下「鐵塔」是測量地球地震活動的傳感器和信息轉發器。而且其建造者並非人類，而是來自太空的外星人。外星人藉助安裝在海底深處的這一地震傳感器和轉發器，能夠更即時、更精確地將地球的地震信息傳送給他們的外星同胞。與此同時，外星人還將地球的地震信息傳送給世界各國的大地測量局。

如果霍尼工程師的推斷是正確的，便會出現這樣一種與事實不符的情形：世界各國政府獲得地震信息時，從不承認消息是由外星人傳來的。

那麼，究竟是誰藉助什麼样的技術手段，將這個水下「天線」安裝在這人跡罕至的深海海底呢？時間已過了幾十年，可是關於這座神祕的海底「鐵塔」，卻一點消息也沒有了。

國家圖書館出版品預行編目資料

探索海洋未解之謎／黃耀華編著. -- 修訂 1 版. --
新北市：黃山國際出版社有限公司, 2024.04
面； 公分. --（百科探索；006）
ISBN 978-986-397-163-4（平裝）
1.CST：百科全書 2.CST：青少年讀物

047 112020296

百科探索 006
探索海洋未解之謎

編　　著　黃耀華
出　　版　黃山國際出版社有限公司
220 新北市板橋區縣民大道 3 段 93 巷 30 弄 25 號 1 樓
電話：02-32343788　傳真：02-22234544
E-mail：pftwsdom@ms7.hinet.net
印　　刷　百通科技股份有限公司
電話：02-86926066 傳真：02-86926016
總 經 銷　貿騰發賣股份有限公司
新北市 235 中和區立德街 136 號 6 樓
電話：02-82275988　傳真：02-82275989
網址：www.namode.com
版　　次　2024 年 4 月修訂 1 版
特　　價　新台幣 320 元（缺頁或破損的書，請寄回更換）

ISBN： 978-986-397-163-4